人类的文化，是经过长时间的积累与不断的传承，慢慢演化而成的。这千百年历史所形成的文明，正是人类智慧的结晶。其中有许多优美动人又富有启迪意义的神话、寓言、成语和典故，更是精华中的精华，是我们每个人生命中不可或缺的精神元素。

为了让孩子能够轻松便捷地读懂这些伟大的文化遗产，从读熟到理解并能熟练地应用到日常的学习、写作中去，我们从浩如烟海的神话、寓言、成语和典故中各自精心筛选了大约200则，配以与它们相关的富有哲理性的有趣故事，编撰成"读·品·悟"小学生必读智慧故事书系，共四册，分别为《小学生一定要知道的200个神话故事》、《小学生一定要知道的200个寓言故事》、《小学生一定要知道的200个成语故事》、《小学生一定要知道的200个典故故事》。本书系在编撰体例上具有以下五个主要特色：

一是通过幽默风趣的故事和生动活泼的语言讲解古代知识，大大提高了可读性、趣味性，让小学生在轻松快乐中阅读，在不知不觉中增长见识。

二是根据读者对象——小学生学习的具体情况，尽量消除阅读、理解、记忆和应用的障碍。为了达到这一目的，我们把来自古代文学中比较难懂的字、词、句和人名、地名、典章制度等融会于背景故事之中，尽量把古代的词语放在当今的语境之中加以简单明了地叙述和解释，便于孩子理解、学会。

三是省去了繁琐的、不适合小学生阅读的注释项目，而是给出了翔实的出处(出处一般包括朝代、作者以及典籍，朝代或作者不详的省略)或者来源。为了帮助小学生更好地理解古文原意，有的译成了白话文(基本上是直译，直译不便时也用意译)，有的给出了解释，有的给出了寓意，有的设计了适合当今汉语语言环境的用法，便于孩子直截了当地学习、应用。

四是对全文注音，满足小学各个年级孩子的阅读需求。注音过程中，我们以《现代汉语词典》(商务印书馆)的汉语拼音规范为参照。注音不区分声母的大小写。

五是每篇故事都配有与主题相关的精美彩图。图片与好看的故事相映成趣，与新颖美观的版式和谐搭配，极大地提高了本书系的可欣赏性，唤起孩子的阅读兴趣。

《小学生一定要知道的 200 个成语故事》是其中的一本，我们精选了日常生活、学习中最实用的 200 个成语，将其归纳整理，精心编撰成书，将这些蕴藏着中国智慧的成语，通过故事加以介绍，让孩子熟悉成语的出处及用法，大大增进语文能力。

目录

4

第 1 篇

yì máo bù bá
一毛不拔

【出处】战国·孟轲《孟子·尽心上》
zhàn guó mèng kē mèng zǐ jìn xīn shàng

【用法】他虽家财万贯，却一毛不拔，非常小气。
tā suī jiā cái wàn guàn què yì máo bù bá fēi cháng xiǎo qì

【故事】杨朱是战国时期的卫国人，传说，他曾经是
yáng zhū shì zhàn guó shí qī de wèi guó rén chuán shuō tā céng jīng shì

老子的学生。在当时，杨朱算是一位有名的思想
lǎo zǐ de xué sheng zài dāng shí yáng zhū suàn shì yí wèi yǒu míng de sī xiǎng

家。但是，他所研究的思想并没有受到大众的认同，
jiā dàn shì tā suǒ yán jiū de sī xiǎng bìng méi yǒu shòu dào dà zhòng de rèn tóng

所以他写的书
suǒ yǐ tā xiě de shū

都没有流传
dōu méi yǒu liú chuán

下来。杨朱认
xia lai yáng zhū rèn

为人活在这个
wéi rén huó zài zhè ge

世界上，一
shì jiè shang yí

切作为都必须
qiè zuò wéi dōu bì xū

是为自己的利益。他告诉大家说："就算是拔下自己身
shì wèi zì jǐ de lì yì tā gào su dà jiā shuō jiù suàn shì bá xià zì jǐ shēn

上一根毫毛可以帮助天下人，我也不愿意做，因为那
shang yì gēn háo máo kě yǐ bāng zhù tiān xià rén wǒ yě bú yuàn yì zuò yīn wèi nà

对我没有一点好处。"因此大家都说杨朱是一个自私
duì wǒ méi yǒu yì diǎn hǎo chu yīn cǐ dà jiā dōu shuō yáng zhū shì yí ge zì sī

自利、一毛不拔的人。
zì lì yì máo bù bá de rén

第 2 篇

yì qiū zhī hé
一丘之貉

【出处】东汉·班固《汉书·杨恽传》
dōng hàn　bān gù　　hàn shū　yáng yùn zhuàn

【用法】他们俩都不是好人，根本就是一丘
tā men liǎ dōu bú shì hǎo rén　gēn běn jiù shì yì qiū

之貉。
zhī hé

【故事】杨恽是个耿直的正人君子，汉朝宣帝的时
yáng yùn shì ge gěng zhí de zhèng rén jūn zǐ　hàn cháo xuān dì de shí

候，他知道大将军霍光要谋反，于是告诉宣帝将霍
hòu　tā zhī dào dà jiāng jūn huò guāng yào móu fǎn　yú shì gào su xuān dì jiāng huò

光逮捕，杨恽因此成为朝中官员。杨恽看到有
guāng dài bǔ　yáng yùn yīn cǐ chéng wéi cháo zhōng guān yuán　yáng yùn kàn dào yǒu

许多贪官污吏常接受有钱人的贿赂，他又和宣帝身
xǔ duō tān guān wū lì cháng jiē shòu yǒu qián rén de huì lù　tā yòu hé xuān dì shēn

边的太仆长乐意见不同而吵架。他生气地说："从
biān de tài pú cháng lè yì jiàn bù tóng ér chǎo jià　tā shēng qì de shuō　cóng

古到今的君王就喜欢听信小人的话，这和山丘里同
gǔ dào jīn de jūn wáng jiù xǐ huan tīng xìn xiǎo rén de huà　zhè hé shān qiū li tóng

住在一窝、臭味相
zhù zài yì wō　chòu wèi xiāng

投又狡猾的貉没
tou yòu jiǎo huá de hé méi

有什么不同啊！"
yǒu shén me bù tóng a

杨恽讲完了这
yáng yùn jiǎng wán le zhè

些话之后，立刻就
xiē huà zhī hòu　lì kè jiù

被宣帝革职了。
bèi xuān dì gé zhí le

第 3 篇

yí bài tú dì
一败涂地

【出处】西汉·司马迁《史记·高祖本纪》

【用法】这次球赛一败涂地，球员们都无颜见

家乡父老了。

【故事】沛县的县令派刘邦带领一群百姓到骊山去做苦工，许多百姓吃不了苦半途逃走了。刘邦决定干脆把大家都放走，他也跟着躲起来不回沛县了。这时正遇陈胜自封为楚王，揭竿起义。县令想归附陈胜就找刘邦回去帮忙，当刘邦带着几百人回来时，县令却后悔了，并把城门锁上。由于县令苛待百姓，刘邦只好率领城内的百姓将县令杀了。百姓们都希望刘邦担任县令，他却说："天下纷乱，挑错了县令人选将会一败涂地，还是另找别人吧！"但后来刘邦依旧当上了沛县县令。

第 4 篇

一字千金
yí zì qiān jīn

【出处】西汉·司马迁《史记·吕不韦列传》
xī hàn sī mǎ qiān shǐ jì lǚ bù wéi liè zhuàn

【用法】这篇文章稿费真高，真是一字千金哪！
zhè piān wén zhāng gǎo fèi zhēn gāo zhēn shì yí zì qiān jīn na

【故事】吕不韦是秦王嬴政的丞相，掌握很大的
lǚ bù wéi shì qín wáng yíng zhèng de chéng xiàng zhǎng wò hěn dà de
权力。当时的官员都喜欢在家中供养有理想、
quán lì dāng shí de guān yuán dōu xǐ huan zài jiā zhōng gōng yǎng yǒu lǐ xiǎng
懂政治，又能提供好点子的读书人，称为食客。吕
dǒng zhèng zhì yòu néng tí gòng hǎo diǎn zi de dú shū rén chēng wéi shí kè lǚ
不韦因为权位高，在
bù wéi yīn wèi quán wèi gāo zài
家中供养了三千
jiā zhōng gōng yǎng le sān qiān
名食客，帮他出主意
míng shí kè bāng tā chū zhǔ yì
治理国政。他要求这
zhì lǐ guó zhèng tā yāo qiú zhè
些食客每人都把自己
xiē shí kè měi rén dōu bǎ zì jǐ

对国家大政的心得、想法及建言全部写下来，最后汇
duì guó jiā dà zhèng de xīn dé xiǎng fǎ jí jiàn yán quán bù xiě xià lai zuì hòu huì
集成一本治国大书，那就是著名的《吕氏春秋》。吕不
jí chéng yì běn zhì guó dà shū nà jiù shì zhù míng de lǚ shì chūn qiū lǚ bù
韦把书公布在集市上，布告天下：谁能在书中增一
wéi bǎ shū gōng bù zài jí shì shang bù gào tiān xià shuí néng zài shū zhōng zēng yí
个字或减一个字，就可以得赏黄金一千两。世人笑
ge zì huò jiǎn yí ge zì jiù kě yǐ dé shǎng huáng jīn yì qiān liǎng shì rén xiào
称：一字千金，可真贵呀！
chēng yí zì qiān jīn kě zhēn guì ya

第 5 篇

yí nuò qiān jīn
一诺千金

【出处】西汉·司马迁《史记·季布栾布列传》

【用法】阿水是个说话算话、一诺千金的人，请不要怀疑他的诚信！

【故事】季布是一个诚实、正直、讲信用、重承诺的人。他答应别人的事，就一定会做到。因此，有许多人都称赞他。当年，项羽和刘邦争王权时，季布帮助项羽打败过刘邦。最后，刘邦战胜项羽取得王位后，知道季布的为人，不但没有惩罚他，反而任他为官。有一位爱结交权贵的楚国人曹邱生，见到季布立刻卑躬屈膝地说："楚国人都说得到黄金一千两，也抵不过季布一个承诺呢！"但季布看他拍马逢迎的样子，一个承诺也没说。

第 6 篇

yì míng jīng rén
一鸣惊人

【出处】战国·韩非《韩非子·喻老》
zhàn guó hán fēi hán fēi zǐ yù lǎo

【用法】小瑜平时沉默寡言，但在辩论会上却
xiǎo yú píng shí chén mò guǎ yán dàn zài biàn lùn huì shang què
滔滔不绝地发言，真是一鸣惊人哪！
tāo tāo bù jué de fā yán zhēn shì yì míng jīng rén na

【故事】楚庄王当了三年的国君，却什么事都不做，
chǔ zhuāng wáng dāng le sān nián de guó jūn què shén me shì dōu bú zuò
整天饮酒作乐，令国
zhěng tiān yǐn jiǔ zuò lè lìng guó
家的官员们都非常
jiā de guān yuán men dōu fēi cháng
担心。大臣申无畏对
dān xīn dà chén shēn wú wèi duì
楚庄王说："有一
chǔ zhuāng wáng shuō yǒu yì
只五彩鸟，飞到楚国的
zhī wǔ cǎi niǎo fēi dào chǔ guó de

山林中达三年之久，但它既不飞翔也不啼鸣，真不
shān lín zhōng dá sān nián zhī jiǔ dàn tā jì bù fēi xiáng yě bù tí míng zhēn bù
知道它还算不算鸟？"楚庄王一听，知道申无畏说
zhī dào tā hái suàn bu suàn niǎo chǔ zhuāng wáng yì tīng zhī dào shēn wú wèi shuō
的五彩鸟就是自己。于是说："这鸟三年不飞，一飞必
de wǔ cǎi niǎo jiù shì zì jǐ yú shì shuō zhè niǎo sān nián bù fēi yì fēi bì
定冲天；三年不鸣，一鸣必定惊人！"楚庄王从
dìng chōng tiān sān nián bù míng yì míng bì dìng jīng rén chǔ zhuāng wáng cóng
此专心治理国家，短短六年时间，就使楚国成为
cǐ zhuān xīn zhì lǐ guó jiā duǎn duǎn liù nián shí jiān jiù shǐ chǔ guó chéng wéi
强国。
qiáng guó

第 7 篇

yí pù shí hán
一暴十寒

【出处】战国·孟轲《孟子·告子上》

【用法】小真做事情总是一暴十寒，没有恒心，这样很难取得成功！

【故事】齐宣王是个做事既没有恒心又拿不定主意的君主，他常常听信小人所讲的话，所以把国家治理得乱七八糟。孟子很生气地对齐宣王说："任何生命力强盛的生物，被人放在太阳下曝晒一天以后，

又放在寒冷的地方冰冻十天，它怎么还能活得下去呢？宣王今日有从善如流的决心，但当我离开齐国之后，您身边的小人又来哄骗您，如此一来，国家如何能治理得好？"孟子说完话便忧心忡忡地离开了齐国。

第 8 篇

yí jiàn shuāng diāo
一 箭 双 雕

【出处】唐·李延寿《北史·长孙晟传》

【用法】解决了他的思想问题，既使他改掉了坏毛病，又使同学们受到启发鼓舞，真是一箭双雕。

【故事】长孙晟是一个射箭骑马的高手，突厥人夸赞他射箭发出的声音是霹雳，骑马的英姿是闪电。因此，突厥国王很喜欢他，常和他一起去打猎。有一次，在打猎中突厥国王看见有两只雕，盘旋在空中争夺一块肉，就抽出两支箭给长孙晟，请他把两只雕射落。长孙晟立刻策马奔驰，只射出一支箭，就把两只箭，就把两只雕射落了。从此，一箭双雕就广为传颂。

第 9 篇

yì cháng chūn mèng
一场春梦

【出处】五代·韦縠《才调集》
wǔ dài wéi hú cái diào jí

【用法】每次考试成绩一公布，小连的第一
měi cì kǎo shì chéng jī yì gōng bù xiǎo lián de dì yī

名美梦都会变成一场春梦。
míng měi mèng dōu huì biàn chéng yì chǎng chūn mèng

【故事】北宋大词
běi sòng dà cí

人苏东坡原是
rén sū dōng pō yuán shì

朝廷里的官
cháo tíng li de guān

员，因为得罪了
yuán yīn wèi dé zuì le

宰相王安石，所
zǎi xiàng wáng ān shí suǒ

以被贬到偏远的南方。有一次，东坡先生背着一个
yǐ bèi biǎn dào piān yuǎn de nán fāng yǒu yí cì dōng pō xiān sheng bēi zhe yí ge

大瓢勺，在田野间散步，嘴里哼着轻快的小调，走着
dà piáo sháo zài tián yě jiān sàn bù zuǐ li hēng zhe qīng kuài de xiǎo diào zǒu zhe

走着遇见一位七十多岁的老婆婆。老婆婆看见东坡先
zǒu zhe yù jiàn yí wèi qī shí duō suì de lǎo pó po lǎo pó po kàn jiàn dōng pō xiān

生悠然自得的样子，感慨地说："东坡先生从前在
sheng yōu rán zì dé de yàng zi gǎn kǎi de shuō dōng pō xiān sheng cóng qián zài

朝廷里当官，过着荣华富贵的生活，现在看来真
cháo tíng lǐ dāng guān guò zhe róng huá fù guì de shēng huó xiàn zài kàn lai zhēn

像是一场春梦啊！"乡里人知道后，便称呼老婆
xiàng shì yì cháng chūn mèng a xiāng li rén zhī dào hòu biàn chēng hū lǎo pó

婆为春梦婆婆。
po wéi chūn mèng pó po

第 10 篇

yì wǎng dǎ jìn
一 网 打 尽

sòng wèi tài dōng xuān bǐ lù
【出处】宋·魏泰《东 轩 笔录》

jǐng chá jiāng dǎi tú yì wǎng dǎ jìn ràng shì mín men ān
【用法】警察 将 歹徒 一 网 打 尽，让市民们安

xīn le xǔ duō
心了许多。

yí wú hé chóng ěr liǎng xiōng dì shì jìn guó de gōng zǐ yí wú huò
【故事】夷吾和 重 耳 两 兄弟，是晋国的公子。夷吾获

dé qín qí liǎng guó de bāng zhù dé dào le jìn guó de wáng quán chéng wéi jìn huì
得秦、齐两国的帮助，得到了晋国的王 权 成 为晋惠

gōng yí wú dān xīn gōng zǐ
公。夷吾担心公子

chóng ěr de rén huì duó qǔ
重 耳的人会夺取

wáng wèi yú shì pài xīn fù
王 位，于是派心腹

tú àn yí qù zhǎo chóng ěr
屠岸夷去找 重 耳

de hǎo péng you pī zhèng
的好 朋 友丕郑 。

tú àn yí piàn pī zhèng shuō yí wú xiǎng shā tā qǐng pī zhèng jiù tā hái ná chū
屠岸夷骗丕 郑 说夷吾想杀他，请丕 郑 救他，还拿出

xuè shū yào pī zhèng hé qí tā zhī chí chóng ěr de rén qiān míng yāo qiú yí wú xià
血书要丕 郑 和其他支持 重 耳的人签名，要求夷吾下

tái bǎ wáng wèi ràng gěi chóng ěr jié guǒ pī zhèng hé tā de bā míng péng you
台把 王 位让给 重 耳。结果，丕 郑 和他的八名 朋 友

dōu bèi yí wú shā tóu le jiāng xīn tóu dà huàn yì wǎng dǎ jìn yí wú zhè cái ān
都被夷吾杀头了。将心头大患一 网 打 尽，夷吾这才安

xīn de wěn zuò wáng wèi
心地稳坐 王 位。

第11篇

yì gǔ zuò qì
一鼓作气

【出处】春秋·左丘明《左传·庄公十年》

【用法】他一鼓作气往前冲，赢得了百米赛跑冠军。

【故事】齐国派兵攻打鲁国，鲁庄公亲自带兵迎战。战场上，庄公一摆开阵势，就要击鼓攻打齐军。大臣曹刿说："等敌军击三次鼓以后，我们再击鼓攻打。"庄公就等待齐军击完三次鼓后，才击鼓攻打，结果，很快就打败齐军。事后曹刿告诉庄公说："战场上击第一次鼓时士兵的斗志最旺盛，第二次、第三次就变弱了。当敌军变弱时，我们正好可以一鼓作气打败他们。这就是一鼓作气，再而衰，三而竭。"

第 12 篇

yí qiào bù tōng
一窍不通

1,
2,

【出处】战国·吕不韦等《吕氏春秋》
　　　　zhàn guó　lǚ bù wéi děng　lǚ shì chūn qiū

【用法】阿莲在电脑方面是个一窍不通，不
　　　　ā lián zài diàn nǎo fāng miàn shì ge yí qiào bù tōng　bù
懂却装懂的孩子，真让人担心。
dǒng què zhuāng dǒng de hái zi　zhēn ràng rén dān xīn

shāng cháo zhòu
【故事】商朝纣
wáng shì yí ge cán bào
王是一个残暴、
hūn yōng de jūn wáng　tā
昏庸的君王。他
shí fēn chǒng ài fēi zǐ dá
十分宠爱妃子姐
jǐ　　dá jǐ què tǎo yàn
己，姐己却讨厌
zhòu wáng de shū fù bǐ
纣王的叔父比

gān　　yǒu yì tiān　　dá jǐ duì zhòu wáng shuō　　　　bǐ gān rú guǒ duì nín shì zhōng xīn
干。有一天，姐己对纣王说："比干如果对您是忠心
de　nín wèi shén me bú jiào tā pōu kāi xiōng táng　bǎ xīn qǔ chū lái xiàn gěi nín
的，您为什么不叫他剖开胸膛，把心取出来献给您
ne　zhòu wáng lì kè mìng lìng bǐ gān pōu xiōng qǔ xīn　bǐ gān guǒ zhēn qǔ chū xīn
呢？"纣王立刻命令比干剖胸取心，比干果真取出心
lái　ér hòu sǐ wáng　yú shì jiù yǒu rén shuō　　　　qǔ chū bǐ gān de xīn lái shì yàn
来，而后死亡。于是就有人说："取出比干的心来试验
tā de zhōng chéng　zhēn shì bù yīng gāi ya　kǒng zǐ shuō　　　zhòu wáng ruò yǒu
他的忠诚，真是不应该呀！"孔子说："纣王若有
yí qiào shì tōng de　bǐ gān jiù bú huì sǐ le
一窍是通的，比干就不会死了。"

第 13 篇

<ruby>一<rt>yí</rt></ruby> <ruby>木<rt>mù</rt></ruby> <ruby>难<rt>nán</rt></ruby> <ruby>支<rt>zhī</rt></ruby>

一木难支

【出处】南朝·刘义庆《世说新语·任诞》

【用法】小瑜想努力挽救公司，但一木难支，个人的力量有限，他还是失败了。

【故事】南朝宋顺帝的时候，奸臣萧道成把持政权，令许多忠贞的大臣愤慨。袁粲和刘东两人就密谋要杀萧道成，结果消息走漏，萧道成反而先派兵攻打袁粲。袁粲父子被大军困住，袁粲对儿子说："我知

道一根木柱无法支撑住即将倒塌的大厦，但是，为了国家我们要固守城池。"后来他的儿子为他挡了一刀而身亡。他抱着儿子说："我是忠臣，你是孝子，我们父子俩死而无悔！"最后，袁粲也被杀了。

第14篇

yí fà qiān jūn
一发千钧

【出处】东汉·班固《汉书·枚乘传》
dōng hàn bān gù hàn shū méi shèng zhuàn

【用法】他总能在一发千钧的情况下,安全
tā zǒng néng zài yí fà qiān jūn de qíng kuàng xià ān quán

渡过一切危险难关。
dù guò yí qiè wēi xiǎn nán guān

【故事】唐朝大文豪韩愈,非常反对人迷信佛教,他还
táng cháo dà wén háo hán yù fēi cháng fǎn duì rén mí xìn fó jiào tā hái

因此被贬官,下放到偏远的潮州去。在潮州,韩愈
yīn cǐ bèi biǎn guān xià fàng dào piān yuǎn de cháo zhōu qù zài cháo zhōu hán yù

认识了一位和尚,并且和他成为好朋友。而韩愈的
rèn shi le yí wèi hé shang bìng qiě hé tā chéng wéi hǎo péng you ér hán yù de

另一位好朋友孟郊,也因为佛教信仰得罪了皇帝,
lìng yí wèi hǎo péng you mèng jiāo yě yīn wèi fó jiào xìn yǎng dé zuì le huáng dì

被贬官到吉州。孟郊听说韩愈归向佛教,便立刻写
bèi biǎn guān dào jí zhōu mèng jiāo tīng shuō hán yù guī xiàng fó jiào biàn lì kè xiě

信给韩愈。韩愈看了信才知道,他结交和尚朋友引来
xìn gěi hán yù hán yù kàn le xìn cái zhī dào tā jié jiāo hé shang péng you yǐn lái

大家误会了,于是他写信给孟郊说:“千疮百孔,随
dà jiā wù huì le yú shì tā xiě xìn gěi mèng jiāo shuō qiān chuāng bǎi kǒng suí

乱随失,真是
luàn suí shī zhēn shì

危急得像动
wēi jí de xiàng dòng

一发而引千钧
yí fà ér yǐn qiān jūn

啊!”这才使孟
a zhè cái shǐ mèng

郊放心。
jiāo fàng xīn

第 15 篇

rù mù sān fēn
入木三分

【出处】唐·张怀瑾《书断·王羲之》
（táng zhāng huái guàn shū duàn wáng xī zhī）

【用法】罗贯中把曹操奸诈虚伪的性格特征
（luó guàn zhōng bǎ cáo cāo jiān zhà xū wěi de xìng gé tè zhēng）
刻画得入木三分。
（kè huà de rù mù sān fēn）

【故事】东晋大书法家王羲之，因为他的书法已写到出
（dōng jìn dà shū fǎ jiā wáng xī zhī, yīn wèi tā de shū fǎ yǐ xiě dào chū）
神入化的地步，得到极高的尊崇，所以大家称他为
（shén rù huà de dì bù, dé dào jí gāo de zūn chóng, suǒ yǐ dà jiā chēng tā wéi）
"书圣"。王羲之的字最特别的就是秀丽中蕴藏着极
（shū shèng。wáng xī zhī de zì zuì tè bié de jiù shì xiù lì zhōng yùn cáng zhe jí）
强的力道，这都是
（qiáng de lì dào, zhè dōu shì）
他长期苦练的结
（tā cháng qī kǔ liàn de jié）
果。他走在路上
（guǒ。tā zǒu zài lù shang）
常苦思字体的写
（cháng kǔ sī zì tǐ de xiě）
法，手跟着在衣襟
（fǎ, shǒu gēn zhe zài yī jīn）

上写，时间一久竟把衣服写破了。有一次，王羲之把字
（shàng xiě, shí jiān yì jiǔ jìng bǎ yī fú xiě pò le。yǒu yí cì, wáng xī zhī bǎ zì）
写在木板上，拿给木匠照字样雕刻，木匠发现他写
（xiě zài mù bǎn shang, ná gěi mù jiàng zhào zì yàng diāo kè, mù jiàng fā xiàn tā xiě）
的字，墨汁浸入木板里有三分深，不得不佩服王羲之写
（de zì, mò zhī jìn rù mù bǎn li yǒu sān fēn shēn, bù dé bù pèi fú wáng xī zhī xiě）
字的功力。
（zì de gōng lì）

第 16 篇

èr táo shā sān shì
二桃杀三士

【出处】春秋·晏婴《晏子春秋·谏下二》

【用法】小珍很有心机，常用二桃杀三士的手段赶走她所讨厌的人。

【故事】齐景公在位的时候，非常讨厌公孙捷、田开疆和古冶子三位智勇双全却很骄傲的勇士。宰相晏子就向景公献计：用两个桃子送给三人，让他们引起争执。这三人果然中计了！先是公孙捷和田开疆认为自己功劳最大，把桃子拿走。但古冶子不甘示弱，向景公历数自己的功绩，景公便叫公孙捷、田开疆把桃子让给古冶子，他们因此羞愤自杀。古冶子说："我一人独活，也是耻辱！"随后也跟着自杀。晏子的二桃杀三士的计谋奏效了。

第 17 篇

jiǔ niú yì máo
九牛一毛

【出处】西汉·司马迁《报任少卿书》
xī hàn　sī mǎ qiān　bào rèn shào qīng shū

【用法】这一万元对小南来说不过是九牛一
zhè yí wàn yuán duì xiǎo nán lái shuō bú guò shì jiǔ niú yì

毛而已，你就收下吧！
máo ér yǐ　nǐ jiù shōu xià ba

【故事】汉朝大将军李陵英勇善战，匈奴国的官兵
hàn cháo dà jiāng jūn lǐ líng yīng yǒng shàn zhàn　xiōng nú guó de guān bīng

都很怕他。有一次，李陵率五千士兵抵抗八万匈奴
dōu hěn pà tā　yǒu yí cì　lǐ líng shuài wǔ qiān shì bīng dǐ kàng bā wàn xiōng nú

官兵，战败而被俘虏。朝廷里许多人嫉妒李陵，就在
guān bīng　zhàn bài ér bèi fú lǔ　cháo tíng li xǔ duō rén jí dù lǐ líng　jiù zài

汉武帝面前说他不忠心，故意战败，还说他为匈
hàn wǔ dì miàn qián shuō tā bù zhōng xīn　gù yì zhàn bài　hái shuō tā wèi xiōng

奴国练兵，汉武帝一气之下把李陵的妻儿都赐死。司马
nú guó liàn bīng　hàn wǔ dì yí qì zhī xià bǎ lǐ líng de qī ér dōu cì sǐ　sī mǎ

迁挺身为李陵辩解，也被判入狱，还受了酷刑，司马
qiān tǐng shēn wèi lǐ líng biàn jiě　yě bèi pàn rù yù　hái shòu le kù xíng　sī mǎ

迁羞愤得想自杀，后来他转念一想：自己的死不过
qiān xiū fèn de xiǎng zì shā　hòu lái tā zhuǎn niàn yì xiǎng　zì jǐ de sǐ bú guò

是九牛之一毛，
shì jiǔ niú zhī yì máo

谁也不会在乎
shuí yě bú huì zài hu

的。于是他忍辱
de　yú shì tā rěn rǔ

完成了历史大
wán chéng le lì shǐ dà

作——《史记》。
zuò　　shǐ jì

第18篇

rén miàn táo huā
人面桃花

tóng mèng qǐ běn shì shī qíng gǎn
【出处】唐·孟棨《本事诗·情感》

tā dú zì huí dào shào shí de xiào yuán shí guò jìng qiān
【用法】他独自回到少时的校园，时过境迁，

rén miàn táo huā xīn zhōng chǎn shēng wú xiàn gǎn kǎi
人面桃花，心中产生无限感慨！

táng cháo zhù míng shī
【故事】唐朝著名诗

rén cuī hù zài mǒu yì nián de
人崔护，在某一年的

qīng míng jié shí dú zì yì rén
清明节时，独自一人

dào chéng wài jiāo yóu kàn jiàn yí
到城外郊游，看见一

ge sì zhōu zhǒng mǎn táo huā de
个四周种满桃花的

cūn shè fēi cháng yǐn rén zhù mù tā hěn xiǎng kàn kan wū zhǔ rén de mú yàng yú
村舍，非常引人注目，他很想看看屋主人的模样，于

shì qiāo le mén jiè kǒu tǎo shuǐ hē jié guǒ chū lai kāi mén de shì yí wèi měi lì ér
是敲了门借口讨水喝，结果出来开门的是一位美丽而

jiāo yàn de nǚ zǐ cuī hù míng jì zài xīn gé nián qīng míng shí jié cuī hù zài cì
娇艳的女子，崔护铭记在心。隔年清明时节，崔护再次

dào nà cūn shè dàn jiàn dà mén shēn suǒ tā ruò yǒu suǒ shī de xiě xià le shī jù
到那村舍，但见大门深锁，他若有所失地写下了诗句：

qù nián jīn rì cǐ mén zhōng rén miàn táo huā xiāng yìng hóng rén miàn bù zhī hé
"去年今日此门中，人面桃花相映红；人面不知何

chù qù táo huā yī jiù xiào chūn fēng chuán shuō nà wèi nǚ zǐ bèi zhè shǒu shī
处去，桃花依旧笑春风。"传说，那位女子被这首诗

gǎn dòng sǐ ér fù huó hé cuī hù jié hūn le
感动，死而复活，和崔护结婚了。

第19篇

sān lìng wǔ shēn
三令五申

【出处】西汉·司马迁《史记·孙子吴起列传》

【用法】虽然老师三令五申地要大家清扫教室，但是大家却充耳不闻地玩游戏。

【故事】孙武是春秋时期著名的军事家，齐国人，他写了一部很有名的书——《孙子兵法》。但齐王并不重视，孙武便带着书到吴国去，吴王一看便要求孙武用书中的十三篇兵法来训练女子。吴王召集了近两百名女子，交由孙武来指挥训练。孙武交代清楚训练动作后，发号施

令时，女子们却笑成一团，错误百出。当孙武连续三次发号施令及申明纪律后，女子们依旧笑闹不停，他便命令将两位担任队长的女子斩首，这才使女子们认真练习。

第 20 篇

sān shēng yǒu xìng
三 生 有 幸

1,

2,

【出处】sòng · shì dào yuán 《jīng dé chuán dēng lù》
宋·释道原《景德传灯录》

【用法】jīn tiān xiǎo lián néng yù jiàn xiǎo zhēn zhè wèi pàn wàng yǐ
今天，小莲能遇见小珍这位盼望已
jiǔ de hǎo péng you suàn tā sān shēng yǒu xìng
久的好朋友，算她三生有幸。

【故事】táng cháo yǒu yí wèi shěng láng guān zǒng jué de zì jǐ guān yùn bù hǎo
唐朝有一位省郎官，总觉得自己官运不好，
cháng dào miào li sàn xīn shū jiě xīn zhōng de yù mèn yǒu yì tiān wǎn shang shěng
常到庙里散心舒解心中的郁闷。有一天晚上，省
láng guān jì sù zài miào li zuò le yí ge mèng mèng zhōng tā zǒu dào yí miàn yán
郎官寄宿在庙里做了一个梦，梦中他走到一面岩
bì xià yù jiàn yí wèi lǎo hé shang zhèng diǎn zhe yí ge xiǎo xiāng lú lǎo hé shang
壁下，遇见一位老和尚 正 点 着 一 个 小 香 炉，老和尚
duì tā shuō zhè xiāng lú de yān ǎi shì nǐ qián shēng xǔ yuàn liú xià de nǐ yǐ
对他说："这香炉的烟霭是你前 生 许愿留下的，你已
jīng zuò le sān shēng de rén le dì yī shēng nǐ shì yí wèi xún fǔ guān dì èr
经做了三生的人了。第一生你是一位巡抚官；第二
shēng nǐ shì yí wèi shū jì guān dì sān shēng nǐ shì shěng láng guān mèng xǐng
生你是一位书记官；第三生你是省郎官。"梦醒
hòu shěng láng guān jué de zì jǐ
后，省郎官觉得自己
sān shēng yǒu xìng dōu zài guān chǎng
三生有幸都在官场
lǐ dàn què yí shì wú
里，但却一事无
chéng yú shì cí guān yún
成，于是辞官云
yóu sì hǎi qù le
游四海去了。

第 21 篇

sān gù máo lú
三顾茅庐

【出处】三国·诸葛亮《出师表》
sān guó   zhū gě liàng   chū shī biǎo

【用法】为了找到好老师教我，妈妈不得不三
wèi le zhǎo dào hǎo lǎo shī jiào wǒ   mā ma bù dé bù sān

顾茅庐去请不想再教学的有经验的
gù máo lú qù qǐng bù xiǎng zài jiāo xué de yǒu jīng yàn de

王老师。
wáng lǎo shī

【故事】在三国时期，
zài sān guó shí qī

曹操、孙权和刘备各
cáo cāo   sūn quán hé liú bèi gè

拥有一片江山，但
yōng yǒu yí piàn jiāng shān   dàn

仍常常互相征
réng cháng cháng hù xiāng zhēng

战。为了取得政权，
zhàn   wèi le qǔ dé zhèng quán

他们都四处寻找贤能的人才，来辅佐他们。刘备听说
tā men dōu sì chù xún zhǎo xián néng de rén cái   lái fǔ zuǒ tā men   liú bèi tīng shuō

在城外隆中卧龙岗有位先生叫诸葛亮，才德智
zài chéng wài lóng zhōng wò lóng gǎng yǒu wèi xiān sheng jiào zhū gě liàng   cái dé zhì

勇兼备，是个不可多得的人才。于是他偕同张飞、关
yǒng jiān bèi   shì ge bù kě duō dé de rén cái   yú shì tā xié tóng zhāng fēi   guān

羽去卧龙岗拜会诸葛先生，却无功而返。第二次他
yǔ qù wò lóng gǎng bài huì zhū gě xiān sheng   què wú gōng ér fǎn   dì èr cì tā

们冒着大风雪前去，仍然吃了闭门羹。第三次刘备守
men mào zhe dà fēng xuě qián qù   réng rán chī le bì mén gēng   dì sān cì liú bèi shǒu

在诸葛亮的床边，一直等到他睡醒，诸葛亮被刘备
zài zhū gě liàng de chuáng biān   yì zhí děng dào tā shuì xǐng   zhū gě liàng bèi liú bèi

的诚心感动了。这样，刘备三顾茅庐才圆满成功。
de chéng xīn gǎn dòng le   zhè yàng   liú bèi sān gù máo lú cái yuán mǎn chéng gōng

第22篇

dà yì miè qīn
大义灭亲

【出处】春秋·左丘明《左传·隐公四年》
xiǎo chén dào jǐng chá jú gào fā zì jǐ de dì di xī dú
【用法】小 陈 到 警察 局 告发 自己 的 弟弟 吸毒，
dà yì miè qīn   lìng rén pèi fú
大义灭亲，令人佩服。

zhōu yū hé shí hòu shì chūn qiū shí qī wèi guó rén   tā men hé móu shā le
【故事】州吁和石厚是春秋时期卫国人，他们合谋杀了
wèi huán gōng hòu   yǐn qǐ wèi guó bǎi xìng fèn nù   shí hòu de fù qīn shí què céng jīng
卫桓公后，引起卫国百姓愤怒。石厚的父亲石碏曾经
shì wèi guó dà chén   duì ér
是卫国大臣，对儿
zi de zuò wéi hěn bú liàng
子的作为很不谅
jiě   yīn cǐ dāng shí hòu
解，因此当石厚
qǐng tā bāng máng qù ān
请他帮忙去安
fǔ mín xīn shí   tā què jiào
抚民心时，他却叫
zhōu yū hé shí hòu qù zhǎo
州吁和石厚去找

chén huán gōng   yòu àn dì pài rén sòng xìn gěi chén huán gōng shuō   zhōu yū hé shí
陈桓公，又暗地派人送信给陈桓公说："州吁和石
hòu èr rén shā jūn huò guó shì luàn chén   qǐng chén huán gōng dìng èr rén de zuì   tì
厚二人杀君祸国是乱臣，请陈桓公定二人的罪，替
wèi guó chú hài   suǒ yǐ tā men liǎ yí dào chén guó jiù bèi zhuā zhù zhì zuì le   shí
卫国除害。"所以他们俩一到陈国就被抓住治罪了。石
què zhōng xīn ài guó ér dà yì miè qīn   lìng wèi guó bǎi xìng qīn pèi bù yǐ
碏忠心爱国而大义灭亲，令卫国百姓钦佩不已。

第 23 篇

dà gōng wú sī
大公无私

【出处】清·龚自珍《论私》
qīng gōng zì zhēn lùn sī

【用法】连警官大公无私的作风，值得大家
lián jǐng guān dà gōng wú sī de zuò fēng zhí de dà jiā
学习。
xué xí

【故事】祁黄羊是春秋时晋国人。有一天，晋平公问
qí huáng yáng shì chūn qiū shí jìn guó rén yǒu yì tiān jìn píng gōng wèn
他："有一个县长缺额，你认为谁最适合？"祁黄羊
tā yǒu yí ge xiàn zhǎng quē é nǐ rèn wéi shuí zuì shì hé qí huáng yáng
说："解狐最适合。"晋平公问："解狐不是你的仇人
shuō xiè hú zuì shì hé jìn píng gōng wèn xiè hú bú shì nǐ de chóu rén
吗？"祁黄羊回答说："是啊！但您问的是谁能胜任
ma qí huáng yáng huí dá shuō shì a dàn nín wèn de shì shuí néng shèng rèn
县长，而不是问解狐是不是我的仇人啊！"晋平公又
xiàn zhǎng ér bú shi wèn xiè hú shì bu shì wǒ de chóu rén a jìn píng gōng yòu
问："谁最适合担任朝廷的法官？"祁黄羊回答说：
wèn shuí zuì shì hé dān rèn cháo tíng de fǎ guān qí huáng yáng huí dá shuō
"非祁午莫属。"晋平公说："祁午是你的儿子，你不怕
fēi qí wǔ mò shǔ jìn píng gōng shuō qí wǔ shì nǐ de ér zi nǐ bú pà
人说闲话吗？"祁黄羊说："您只问谁能担任法官
rén shuō xián huà ma qí huáng yáng shuō nín zhǐ wèn shuí néng dān rèn fǎ guān
哪！"晋平公因此
na jìn píng gōng yīn cǐ
重用二人。而孔子
zhòng yòng èr rén ér kǒng zǐ
也称赞祁黄羊
yě chēng zàn qí huáng yáng
是大公无私的人。
shì dà gōng wú sī de rén

第 24 篇

shàng xià qí shǒu
上下其手

【出处】春秋·左丘明《左传·襄公二十六年》

【用法】贪官污吏上下其手地弄钱，老百姓
真可怜。

【故事】楚襄王派兵
侵占邻近的郑国，
弱小的郑国毫无招
架的能力，连郑王
颉都成了俘虏。楚

襄王的弟弟公子围为了抢功，说郑王是他掳获
的，于是和将军穿封戌起了争执。伯州犁被请来当
公证人，他对郑王说明缘由后，说："如果是公
子围掳获了他就比上手指，若是穿封戌就比下手
指。"结果郑王比了上手指，因为他对真正俘虏他
的穿封戌恨之入骨，怎么可能帮他呢？郑王上下
其手颠倒是非，害惨了穿封戌。

第 25 篇

shàng xíng xià xiào
上 行 下 效

dōng hàn bān gù bái hǔ tōng sān jiào
【出处】东 汉·班 固《白 虎 通·三 教》

tā fēi cháng bù shǒu fǎ tā de ér zi yě shàng xíng xià
【用法】他 非 常 不 守 法,他 的 儿 子 也 上 行 下

xiào chù chù wéi fǎ
效,处 处 违 法。

qí jǐng gōng shì ge xǐ huan tīng fèng chéng huà de jūn wáng suǒ yǐ zhōu
【故事】齐 景 公 是 个 喜 欢 听 奉 承 话 的 君 王,所 以,周

wéi de rén duì tā dōu zhǐ huì shuō hǎo tīng huà yǒu yí cì qí jǐng gōng hé qún chén
围 的 人 对 他 都 只 会 说 好 听 话。有 一 次,齐 景 公 和 群 臣

yì qǐ qù shè jiàn měi dāng tā shè chū yí jiàn hòu dà jiā jiù pāi shǒu jiào dào jiàn
一 起 去 射 箭,每 当 他 射 出 一 箭 后,大 家 就 拍 手 叫 道:"箭

fǎ zhēn hǎo wa jí shǐ
法 真 好 哇!"即 使

méi yǒu shè zhòng bǎ xīn
没 有 射 中 靶 心,

dà jiā yě pāi shǒu shuō
大 家 也 拍 手 说

miào shuō hǎo qí jǐng
妙、说 好。齐 景

gōng duì dà chén xián zhāng
公 对 大 臣 弦 章

shuō qún chén de fǎn yìng tài qí guài le xián zhāng shuō zhè jiù shì shàng
说:"群 臣 的 反 应 太 奇 怪 了!"弦 章 说:"这 就 是 上

xíng ér xià xiào jūn wáng xǐ huan chī shén me qún chén jiù xǐ huan chī shén me
行 而 下 效,君 王 喜 欢 吃 什 么,群 臣 就 喜 欢 吃 什 么;

jūn wáng xǐ huan tīng hǎo tīng de huà qún chén jiù shuō hǎo tīng de huà tǎo jūn wáng
君 王 喜 欢 听 好 听 的 话,群 臣 就 说 好 听 的 话,讨 君 王

kāi xīn qí jǐng gōng cóng cǐ bú zài zhǐ tīng fèng chéng de huà le
开 心。"齐 景 公 从 此 不 再 只 听 奉 承 的 话 了。

第 26 篇

xiǎo shí liǎo liǎo
小时了了

1,
2,
3,

【出处】南朝·刘义庆《世说新语·言语》
nán cháo liú yì qìng shì shuō xīn yǔ yán yǔ

【用法】小威小时了了，长大后不一定会很
xiǎo wēi xiǎo shí liǎo liǎo zhǎng dà hòu bù yí dìng huì hěn
有成就。
yǒu chéng jiù

【故事】孔子的第二十代孙子孔融，是东汉著名的博
kǒng zǐ de dì èr shí dài sūn zi kǒng róng shì dōng hàn zhù míng de bó
学奇才，自小就天资聪颖过人。孔融十岁时，因为看
xué qí cái zì xiǎo jiù tiān zī cōng yǐng guò rén kǒng róng shí suì shí yīn wèi kàn
不惯太守李膺骄横处事，就去拜访他。孔融一见到
bú guàn tài shǒu lǐ yīng jiāo hèng chǔ shì jiù qù bài fǎng tā kǒng róng yí jiàn dào
李膺便说："我的祖先孔子请教过您的祖先老子，我
lǐ yīng biàn shuō wǒ de zǔ xiān kǒng zǐ qǐng jiào guò nín de zǔ xiān lǎo zǐ wǒ
们也算是世交，您是应该接见我的。"在场宾客看这
men yě suàn shì shì jiāo nín shì yīng gāi jiē jiàn wǒ de zài chǎng bīn kè kàn zhè
小孩儿如此聪明伶俐，都很惊讶，其中有一位官员
xiǎo hái er rú cǐ cōng míng líng lì dōu hěn jīng yà qí zhōng yǒu yí wèi guān yuán
陈韪讽刺说："小时了了，大未必佳。"孔融马上回
chén wěi fěng cì shuō xiǎo shí liǎo liǎo dà wèi bì jiā kǒng róng mǎ shàng huí
答："陈大人小时
dá chén dà rén xiǎo shí
候一定是很聪
hou yí dìng shì hěn cōng
明啰！"意思就是
míng luo yì si jiù shì
嘲笑陈韪此刻的
cháo xiào chén wěi cǐ kè de
成就也不是很好。
chéng jiù yě bú shì hěn hǎo

第27篇

wáng yáng bǔ láo
亡羊补牢

【出处】西汉·刘向《战国策·楚策四》

【用法】这件事已经造成了大的损失，现在再想办法补救，实际上是亡羊补牢，为时已晚。

1, 2, 3,

【故事】楚国大臣庄辛对庄襄王说："您所宠信的四位大臣，整日陪您悠游玩乐，这样下

去，楚国恐怕会亡国呀！"楚襄王不高兴地说："现在一片太平景象，你的话是在扰乱民心。"于是，庄辛离开楚国到赵国去了。五个月后，强盛的秦国果真攻占了楚国，楚襄王狼狈地逃到赵国，庄辛去见他，诚恳地说："我听人说过，看见兔子才想到该带猎犬，羊跑掉了再补羊圈都太迟了，重要的是要汲取教训，懂得反省、悔改！"

第 28 篇

kǒu ruò xuán hé
口若悬河

【出处】南朝·刘义庆《世说新语·赏誉》
nán cháo   liú yì qìng   shì shuō xīn yǔ   shǎng yù

【用法】参加辩论赛的同学，各个都是口若悬
cān jiā biàn lùn sài de tóng xué   gè ge dōu shì kǒu ruò xuán
河、辩才无碍的高手。
hé   biàn cái wú ài de gāo shǒu

【故事】晋朝的郭象是个很有学问的人，对生活中
jìn cháo de guō xiàng shì ge hěn yǒu xué wen de rén   duì shēng huó zhōng
的各种现象，他都会认真细心地去观察思考，找出
de gè zhǒng xiàn xiàng   tā dōu huì rèn zhēn xì xīn de qù guān chá sī kǎo   zhǎo chū
合理的答案。郭象曾深入研究老子和庄子的学说，
hé lǐ de dá àn   guō xiàng céng shēn rù yán jiū lǎo zǐ hé zhuāng zǐ de xué shuō
因此，积累了很深厚
yīn cǐ   jī lěi le hěn shēn hòu
的学问基础。当时
de xué wen jī chǔ   dāng shí
有许多人请他去做
yǒu xǔ duō rén qǐng tā qù zuò
官，都被他拒绝了。
guān   dōu bèi tā jù jué le
但是，后来他还是接
dàn shì   hòu lái tā hái shi jiē

下了专门替君王传达命令的黄门侍郎官的工
xià le zhuān mén tì jūn wáng chuán dá mìng lìng de huáng mén shì láng guān de gōng
作。郭象在传令时，说话精准又清楚，太尉王衍就
zuò   guō xiàng zài chuán lìng shí   shuō huà jīng zhǔn yòu qīng chu   tài wèi wáng yǎn jiù
常夸赞说："郭象讲话非常流利，就好像悬在山
cháng kuā zàn shuō   guō xiàng jiǎng huà fēi cháng liú lì   jiù hǎo xiàng xuán zài shān
上的河水一直往下流泻，从没有枯竭的时候。"
shang de hé shuǐ yì zhí wǎng xià liú xiè   cóng méi yǒu kū jié de shí hou

第 29 篇

kǒu mì fù jiàn
口蜜腹剑

【出处】 宋·司马光《资治通鉴·唐玄宗天宝
元年》

【用法】 小陈是个口蜜腹剑的小人，大家不要
被他斯文友善的外表给骗了。

【故事】 李林甫是唐玄宗十分宠信的宰相，他相貌
温文儒雅，又很有才华，精通书画，对人和善友好且
说尽好话，因此结交了许多朋友。私底下的李林甫，却
是个阴险毒辣、自私自利的人，做任何事情只会迎合唐
玄宗的喜好，或是只顾及他个人利益。所有刚认识他

的朋友都很喜
欢他，但是时
间一久，就会发
现他的假冒伪
善。于是有人
说："李林甫是

个口中有蜜，腹中藏剑，非常虚伪的人。"

第30篇

mù rén shí xīn
木人石心

táng fáng xuán líng jìn shū xià tǒng zhuàn
【出处】唐·房玄龄《晋书·夏统传》

xiàn dài shè huì li xiàng xiǎo chǔ zhè yàng wán quán bú shòu
【用法】现代社会里，像小楚这样完全不受

yòu huò mù rén shí xīn de rén yǐ hěn shǎo jiàn dào le
诱惑、木人石心的人已很少见到了。

jiāng nán yǒu yí ge
【故事】江南有一个

míng jiào xià tǒng de rén xué
名叫夏统的人，学

wen guǎng bó yòu shàn yú biàn
问广博又善于辩

lùn yǒu yí cì xià tǒng dào
论。有一次，夏统到

luò yáng qù fǎng yǒu rèn shi
洛阳去访友，认识

le dāng dì de yí wèi jiào jiǎ chōng de guān yuán dāng jiǎ chōng zhī dào xià tǒng xué
了当地的一位叫贾充的官员。当贾充知道夏统学

wen yuān bó yǐ hòu jiù xiǎng pìn qǐng xià tǒng fǔ zuǒ tā dàn xià tǒng zhī dào guān
问渊博以后，就想聘请夏统辅佐他，但夏统知道官

chǎng xiǎn è suǒ yǐ tā zǎo jiù jué dìng bù dāng guān le jiǎ chōng xiǎng jìn bàn
场险恶，所以他早就决定不当官了。贾充想尽办

fǎ yǐn yòu xià tǒng tā xiān yǐ guān wèi quán shì yòu huò xià tǒng zěn zhī xià tǒng yì
法引诱夏统，他先以官位权势诱惑夏统，怎知夏统一

diǎn yě bú dòng xīn jiē zhe tā yòu yǐ měi rén jì lái mí huò xià tǒng yī rán wú
点也不动心；接着，他又以美人计来迷惑夏统，依然无

fǎ shǐ xià tǒng gǎi biàn xīn yì jiǎ chōng shēng qì de shuō nán dào xià tǒng shì
法使夏统改变心意。贾充生气地说："难道夏统是

ge mù tou rén shí tou xīn de jiā huo ma
个木头人、石头心的家伙吗？"

第 31 篇

bù zhī qīng zhòng
不知轻重

【出处】战国·韩非《韩非子·外储说左上》
zhàn guó hán fēi hán fēi zǐ wài chǔ shuō zuǒ shàng

【用法】他总是不知轻重，常常误解别人
tā zǒng shì bù zhī qīng zhòng cháng cháng wù jiě bié rén
对他的善意。
duì tā de shàn yì

1,
2,
3,

【故事】楚国有一个贩卖珠宝的生意人，要到郑国去
chǔ guó yǒu yí ge fàn mài zhū bǎo de shēng yì rén yào dào zhèng guó qù

卖珠宝，为了让珠宝容易卖出去，生意人用上好的
mài zhū bǎo wèi le ràng zhū bǎo róng yì mài chu qu shēng yì rén yòng shàng hǎo de

木材制造了许多小木盒，又把木盒雕刻得精美小巧，还
mù cái zhì zào le xǔ duō xiǎo mù hé yòu bǎ mù hé diāo kè de jīng měi xiǎo qiǎo hái

会散发出阵阵扑鼻的香味，珠宝放置在其中，让人
huì sàn fā chu zhèn zhèn pū bí de xiāng wèi zhū bǎo fàng zhì zài qí zhōng ràng rén

看了更加爱不释手。有
kàn le gèng jiā ài bú shì shǒu yǒu

一位郑国人，看见装
yí wèi zhèng guó rén kàn jiàn zhuāng

珠宝的精巧木盒，非常
zhū bǎo de jīng qiǎo mù hé fēi cháng

喜爱，问明价钱，毫不
xǐ ài wèn míng jià qián háo bù

犹豫地就买了一个，然后
yóu yù de jiù mǎi le yí ge rán hòu

打开盒子，把珠宝退还给生意人。生意人吃惊地想：
dǎ kāi hé zi bǎ zhū bǎo tuì huán gěi shēng yì rén shēng yì rén chī jīng de xiǎng

好一个不知轻重的人，居然不知道珠宝的价值要比木
hǎo yí ge bù zhī qīng zhòng de rén jū rán bù zhī dào zhū bǎo de jià zhí yào bǐ mù

盒珍贵许多！
hé zhēn guì xǔ duō

第32篇

bù chǐ xià wèn
不耻下问

【出处】《论语·公冶长》
lún yǔ　gōng yě cháng

【用法】小瑜不耻下问的精神令老师和同学
xiǎo yú bù chǐ xià wèn de jīng shén lìng lǎo shī hé tóng xué
们非常赞赏。
men fēi cháng zàn shǎng

【故事】孔圉是春秋时卫国的大夫,他过世之后,卫国
kǒng yǔ shì chūn qiū shí wèi guó de dà fū　tā guò shì zhī hòu　wèi guó
君王为了表彰他良好的品性和学问,特别为他立了
jūn wáng wèi le biǎo zhāng tā liáng hǎo de pǐn xìng hé xué wen　tè bié wèi tā lì le
一个名号为"文"。孔子的学生子贡觉得很奇怪,于
yí ge míng hào wéi　wén　kǒng zǐ de xué sheng zǐ gòng jué de hěn qí guài　yú
是就问孔子说:"孔圉先生为什么会被立封号为'文'
shì jiù wèn kǒng zǐ shuō　kǒng yǔ xiān sheng wèi shén me huì bèi lì fēng hào wéi　wén
呢?"孔子回答说:"孔先生聪明又好学,遇到了任
ne　kǒng zǐ huí dá shuō　kǒng xiān sheng cōng míng yòu hào xué　yù dào le rèn
何问题,即使是
hé wèn tí　jí shǐ shì
面对地位、能
miàn duì dì wèi　néng
力都不如他的
lì dōu bù rú tā de
人,也能够不
rén　yě néng gòu bù
耻下问,所以
chǐ xià wèn　suǒ yǐ
他被君王立
tā bèi jūn wáng lì
封为'文'哪!"
fēng wéi　wén　na

第 33 篇

bù shí shí wù
不识时务

nán cháo   fàn yè   hòu hàn shū   zhāng bà zhuàn
【出处】南 朝 · 范晔《后汉书 · 张 霸 传 》
bù shí shí wù de rén fán shì dōu huì bǐ jiào chī kuī
【用法】不识时务的人凡事都会比较吃亏。

dōng hàn mò
【故事】东汉末

nián   zhàn shì fēn rǎo bù
年 ，战事纷扰不

xiū   shēn wéi hàn cháo
休。身为汉朝

huáng shì hòu dài de liú
皇 室后代的刘

bèi   yì xīn xiǎng yào huī
备，一心想要恢

fù hàn shì jiāng shān   yīn cǐ zhāo lǎn tiān xià wén wǔ yīng xióng   kě shì   liú bèi
复汉室江山，因此招揽天下文武英雄。可是，刘备
dōng bēn xī pǎo què méi néng zhǎo dào yí ge lì jī de gēn jù dì   tā qù qǐng
东奔西跑却没能找到一个立基的根据地，他去请
jiào yǐn shì sī mǎ huī   sī mǎ xiān sheng zhí yán shuō   zhè shì yīn wèi nǐ méi yǒu
教隐士司马徽，司马先生直言说："这是因为你没有
dé lì de zhù shǒu   zài nǐ shēn páng de guān yǔ   zhāng fēi suī shì dǐng jiān de
得力的助手！在你身旁的关羽、张飞虽是顶尖的
wǔ jiàng   dàn cè dìng móu lüè de mí zhú   jiǎn yōng èr rén què shì bù shí shí wù
武将，但策定谋略的糜竺、简雍二人却是不识时务
de bái miàn shū shēng   lián shí shì zhuàng kuàng dōu bù qīng chu de rén   rú hé
的白面书生，连时势状况都不清楚的人，如何
bāng nǐ chóng zhèn hàn shì shēng wēi ne   shí shí wù cái néng chéng gōng a
帮你重振汉室声威呢？识时务才能成功啊！"

第 34 篇

bú rù hǔ xué　yān dé hǔ zǐ
不入虎穴，焉得虎子

1,

2,

3,

【出处】nán cháo　fàn yè　hòu hàn shū　bān chāo zhuàn
南朝·范晔《后汉书·班超传》

【用法】wèi le dá chéng mù biāo　wǒ men bù fáng mào xiǎn shì yī
为了达成目标，我们不妨冒险试一
shì bú rù hǔ xué　yān dé hǔ zǐ ne
试，不入虎穴，焉得虎子呢？

bān chāo shì dōng hàn shí zhù míng de jiāng jūn　tā yīn gōng dǎ xiōng nú
【故事】班超是东汉时著名的将军，他因攻打匈奴
yǒu gōng　ér chū shǐ xī yù　bān chāo xiān dào le shàn shàn guó　zài nà li　tā
有功，而出使西域。班超先到了鄯善国，在那里，他

men yì xíng sān shí liù rén
们一行三十六人

dōu shòu dào guì bīn jí de
都受到贵宾级的

lǐ yù　kě shì yí ge yuè
礼遇。可是一个月

yǐ hòu　shàn shàn guó
以后，鄯善国

wáng duì dài tā men de
王对待他们的

tài dù　hěn míng xiǎn de
态度，很明显地

dài màn le　bān chāo fā xiàn　yuán lái shì yīn wèi xiōng nú guó yě pài rén lái tǎo hǎo
怠慢了。班超发现，原来是因为匈奴国也派人来讨好
shàn shàn guó wáng　yú shì tā gào su tóng bàn men shuō　bú rù hǔ xué　yān dé
鄯善国王，于是他告诉同伴们说："不入虎穴，焉得
hǔ zǐ　wǒ men jīn wǎn yǐ huǒ gōng shā diào xiōng nú shǐ jié　hǎo ràng shàn shàn guó
虎子！我们今晚以火攻杀掉匈奴使节，好让鄯善国
wáng quán xīn guī xiàng hàn cháo　jié guǒ bān chāo chéng gōng le
王全心归向汉朝。"结果班超成功了。

第35篇

máo suì zì jiàn
毛遂自荐

【出处】西汉·司马迁《史记·平原君列传》

【用法】今天开班会选举班长，我毛遂自荐，向同学们陈述了我当班长的理由。

【故事】赵国宰相赵胜，因封地在平原，所以又称为平原君。平原君特别喜欢养士，有一次，赵王派他到楚国去搬救兵，帮赵国抵挡秦国的攻打。为了保护自身安全，他决定挑选二十名文武双全的士人，和他一同前往楚国。千挑百选，才挑了十九名。

这时，有一位名叫毛遂的士人，自我推荐请求和平原君同行。大家对毛遂自荐的举动无可奈何，但没想到，最后帮平原君说服楚王的竟是毛遂。

第36篇

niú yī duì qì
牛衣对泣

1,

【出处】东汉·班固《汉书·王章传》

2,

【用法】我们不应该忘记过去牛衣对泣的生活，要居安思危。

【故事】王章是汉朝有名的官员，但是在他还没有当官之前，生活却很凄苦。那时王章还在长安读书，贫病交加，他和妻子住在破屋子里，没有棉被盖，连

床褥也没有，只能睡在给牛披身的蓑衣上。王章认为自己快要病死、冻死了，就对着妻子哭泣，他的妻子说："目前在朝廷当官的有哪一个的才能比得上你？不要被一点贫病给击败呀！"她说完话也对着王章哭泣。王章听了妻子的话，坚定了信念，奋发图强，果然当上了汉朝有名的大官。

第 37 篇

xīn fù zhī huàn
心腹之患

【出处】春秋·左丘明《左传·哀公十一年》

【用法】和珅认为，刘墉一直是阻碍他做坏事

的心腹之患，想除掉他，却没有得

逞。

【故事】春秋时期，吴国和越国在一次交战时，越王勾

践射伤了吴王阖闾，吴王临死前要儿子夫差替他报

仇，夫差含泪答应了。两年后，夫差果然打败越国，勾

践躲在山里，派文种送东西给吴国要求讲和。大将

军伍子胥劝夫差

乘胜追击，但夫

差不听，过了五年

夫差要攻打齐

国。伍子胥又劝

说："我们该先攻打越国，除去这心腹大患才对！"夫

差依然不听。最后，勾践复国后就将吴国打败了。

第 38 篇

yuè xià lǎo rén

月下老人

1,

2,

【出处】唐·李复言《续幽怪录》
táng　lǐ fù yán　xù yōu guài lù

【用法】妈妈总爱扮演月下老人，为人牵红
mā ma zǒng ài bàn yǎn yuè xià lǎo rén　wèi rén qiān hóng

线谈姻缘。
xiàn tán yīn yuán

【故事】唐朝人韦固到宋城去旅行。夜晚，他看见有
táng cháo rén wéi gù dào sòng chéng qù lǚ xíng　yè wǎn　tā kàn jiàn yǒu

位老人坐在囊袋上，对着月光翻阅一本很厚的书。
wèi lǎo rén zuò zài náng dài shang　duì zhe yuè guāng fān yuè yì běn hěn hòu de shū

韦固问："您读什么书哇？"老人说："是婚姻簿，我囊
wéi gù wèn　nín dú shén me shū wa　lǎo rén shuō　shì hūn yīn bù　wǒ náng

袋里的红线是姻缘线。"这时，一位盲妇抱着一个三
dài li de hóng xiàn shì yīn yuán xiàn　zhè shí　yí wèi máng fù bào zhe yí ge sān

岁女孩儿走过，老人对韦固说："这女孩儿就是你未来的
suì nǚ hái er zǒu guò　lǎo rén duì wéi gù shuō　zhè nǚ hái er jiù shì nǐ wèi lái de

妻子。"韦固不信，派家仆去杀女孩儿，家仆匆匆刺一刀
qī zi　wéi gù bú xìn　pài jiā pú qù shā nǚ hái er　jiā pú cōng cōng cì yì dāo

就逃走了。十四年后，韦固娶了一位美娇娘，只可惜眉
jiù táo zǒu le　shí sì nián hòu　wéi gù qǔ le yí wèi měi jiāo niáng　zhǐ kě xī méi

间有一刀痕，韦固一
jiān yǒu yì dāo hén　wéi gù yí

问才知妻子正是
wèn cái zhī qī zi zhèng shì

当年的小女孩儿。
dāng nián de xiǎo nǚ hái er

之后大家就把韦固遇
zhī hòu dà jiā jiù bǎ wéi gù yù

上的老人称为月
shang de lǎo rén chēng wéi yuè

下老人。
xià lǎo rén

第39篇

fāng cùn yǐ luàn
方寸已乱

【出处】晋·陈寿《三国志·蜀书·诸葛亮传》

【用法】家中被盗，母亲坐在中间屋里，看见我，眼泪便滚了下来，我当时方寸已乱！

【故事】徐庶是三国时的名士，很有才能，在刘备的阵营里当军师。曹操用尽办法请徐庶为他担任军师，都遭到徐庶拒绝。后来，曹操知道徐庶很孝顺母亲，于是设计将徐母骗到曹营去，要她写信劝徐庶归顺曹营，但是，徐母很痛恨曹操想夺取汉室王朝，不愿意写。曹操就找人来模仿徐母的笔迹，写信给徐庶。徐庶收到信，慌乱地对刘备说："我本想以方寸之心对汉室尽忠，但我母亲被曹贼掳获，我方寸已乱，请让我离开吧！"刘备只好同意。

第 40 篇

jǐng dǐ zhī wā
井底之蛙

【出处】战国·庄周《庄子·秋水篇》

【用法】生在知识爆炸的时代，谁要是不经常学习，就会变成井底之蛙。

1,
2,
3,

【故事】一只住在井底的青蛙，每天可见到的，就是井里的水和井口一角的天空。一只海龟经过这口井，惊讶地

说："这是什么地

方，这么小？"青蛙

说："这是最舒适辽

阔的井底王国，我

是快乐的青蛙国

王，你是谁？"海龟

说："报告青蛙国王，我是在真正辽阔的大海里居住的大海龟，大海里可以住进几千万只和我一样大的海龟，还有各种各样的大鱼，住在大海里才是真正的快乐呀。"青蛙一听，再也不说话了。

第 41 篇

huǒ shù yín huā
火树银花

【出处】唐·苏味道《正月十五夜诗》

【用法】美丽的烟火，呈现出一片火树银花
的繁盛景象。

【故事】唐睿宗是一位非常喜爱享乐的皇帝。在他
做皇帝的三年内，不论什么节日，他都要铺张浪费
一番，用很多人力物力办各式各样的庆典，供他玩
赏。最特别的是在每年元宵节的夜晚，他一定会派人
扎起二十米高的灯树，点起五万多盏灯，号称为
"火树"。有一位诗人苏味道写了一首诗来描绘火树点
起的灿烂盛
况："火树银花
合，星桥铁锁开；
暗尘随马去，明
月逐人来。"

第 42 篇

shuǐ qīng shí zì xiàn
水清石自见

【出处】《乐府诗·燕歌行》yuè fǔ shī yān gē xíng

【用法】我不怕被人怀疑，水清石自见，我做
wǒ bú pà bèi rén huái yí shuǐ qīng shí zì xiàn wǒ zuò
事一向 光 明 磊 落 的。
shì yí xiàng guāng míng lěi luò de

【故事】从 前，有 一
cóng qián yǒu yí
位 妇 人 心 地 非 常
wèi fù rén xīn dì fēi cháng
善 良。她 见 到 一
shàn liáng tā jiàn dào yí
对 四 处 流 浪 的 兄
duì sì chù liú làng de xiōng
弟，身 上 穿 着 破
dì shēn shang chuān zhe pò
旧 不 堪 的 衣 服。好
jiù bù kān de yī fu hǎo

心 的 妇 人 于 是 为 他 们 缝 补 衣 服，又 缝 制 新 衣。妇 人 的
xīn de fù rén yú shì wèi tā men féng bǔ yī fu yòu féng zhì xīn yī fù rén de
丈 夫 回 家，见 到 她 如 此 卖 力 地 缝 补 衣 服，就 伸 长 了
zhàng fu huí jiā jiàn dào tā rú cǐ mài lì de féng bǔ yī fu jiù shēn cháng le
脖 子 往 屋 里 看，又 酸 溜 溜 地 问："你 这 究 竟 是 为 谁 辛 苦
bó zi wǎng wū li kàn yòu suān liū liū de wèn nǐ zhè jiū jìng shì wèi shuí xīn kǔ
为 谁 忙？"妇 人 调 皮 地 说："你 就 别 站 在 门 外 东 张 西
wèi shuí máng fù rén tiáo pí de shuō nǐ jiù bié zhàn zài mén wài dōng zhāng xī
望 了，这 件 事 情 总 有 水 清 石 自 见、让 你 明 白 真 相
wàng le zhè jiàn shì qíng zǒng yǒu shuǐ qīng shí zì xiàn ràng nǐ míng bai zhēn xiàng
的 一 天！"丈 夫 只 好 不 再 多 问 了。
de yì tiān zhàng fu zhǐ hǎo bú zài duō wèn le

第 43 篇

shuǐ luò shí chū
水落石出

【出处】宋·欧阳修《醉翁亭记》
sòng ōu yáng xiū zuì wēng tíng jì

【用法】关于这件事，总有水落石出的一天。
guān yú zhè jiàn shì zǒng yǒu shuǐ luò shí chū de yì tiān

【故事】宋 朝 大 词 人 苏 轼，因 为 得 罪 宰 相 王 安 石，被
sòng cháo dà cí rén sū shì yīn wèi dé zuì zǎi xiàng wáng ān shí bèi

宋 神 宗 贬 官 到 黄 州。到 了 黄 州，苏 轼 住 在 一 个
sòng shén zōng biǎn guān dào huáng zhōu dào le huáng zhōu sū shì zhù zài yí ge

叫 东 坡 的 地 方，便 自 称 为 东 坡 居 士，大 家 就 称 他 为
jiào dōng pō de dì fang biàn zì chēng wéi dōng pō jū shì dà jiā jiù chēng tā wéi

苏 东 坡。东 坡 先 生
sū dōng pō dōng pō xiān sheng

喜 欢 游 山 玩 水，
xǐ huan yóu shān wán shuǐ

总 能 以 景 抒 怀，
zǒng néng yǐ jǐng shū huái

他 对 黄 州 汉 江
tā duì huáng zhōu hàn jiāng

外 的 赤 壁，有 特 殊
wài de chì bì yǒu tè shū

的 感 受，因 此 写 下
de gǎn shòu yīn cǐ xiě xià

前 后 两 篇《赤 壁 赋》。《后 赤 壁 赋》是 他 重 游 赤 壁 而 写
qián hòu liǎng piān chì bì fù hòu chì bì fù shì tā chóng yóu chì bì ér xiě

的，其 中 有 一 段 内 容 是："复 游 于 赤 壁 之 下，江 流 有
de qí zhōng yǒu yí duàn nèi róng shì fù yóu yú chì bì zhī xià jiāng liú yǒu

声，断 岸 千 尺，山 高 月 小，水 落 石 出……"后 来 大 家 就
shēng duàn àn qiān chǐ shān gāo yuè xiǎo shuǐ luò shí chū hòu lái dà jiā jiù

把"水 落 石 出"延 伸 为 真 相 毕 露 的 意 思。
bǎ shuǐ luò shí chū yán shēn wéi zhēn xiàng bì lù de yì si

第44篇

tiān yī wú fèng
天衣无缝

【出处】五代·牛峤《灵怪录·郭翰》

【用法】歹徒自以为做得天衣无缝，但还是难逃警察的法眼。

【故事】传说，从前有一个名叫郭翰的人，在某个夏天夜晚，因为屋里燥热无法入睡，于是把床搬到了庭院里。习习凉风吹来，郭翰在半梦半醒之间，看见一名白衣女子从天空中缓缓飘落。她对郭翰说："我是天上的神仙织女。"郭翰惊讶地张大惺忪的睡眼看着白衣女子，说："咦！你的衣服怎么没有缝线呢？"白衣女子说："天上神仙的衣服，完全不用针线缝制，自然没有缝线。"后来人们就将这传说称为"天衣无缝"了。

44

第 45 篇

tiān yá hǎi jiǎo
天涯海角

【出处】南朝·徐陵《武皇帝作相时与岭南酋豪书》

【用法】我们毕业后纵使天涯海角分离各地，但友谊永远长存。

【故事】韩愈是唐朝著名的文学家。很小的时候，父母亲就相继过世了，由他的大哥韩会和大嫂扶养长大。韩会名下排行十二的儿子阿成，小名叫十二郎，比韩愈小几岁。韩愈的三位哥哥很早就过世了，家中男丁只有他和十二郎，所以，他们两人感情很好。但是因为读书、工作，叔侄二人聚少离多。正当韩愈可以返乡和十二郎共同生活时，十二郎却生病过世了。韩愈伤心地写下一篇《祭十二郎文》，其中有"一在天之涯，一在地之角"的句子，后来人们就引申为"天涯海角"。

45

第 46 篇

guā tián lǐ xià
瓜田李下

【出处】唐·柳公权《乐府诗集·相和歌辞七·
君子行》

【用法】考试时，要把书都放进书包，以避免
瓜田李下之嫌。

【故事】有一天，唐文宗问侍郎官柳公权说："为什
么会有人反对郭文担任邠县（今陕西彬县）的主官？"

柳公权说："郭文做
官从没有过失，依他
对国家的贡献，做邠
县主官也是合乎情理
的，只因为他进献了两

个女儿入宫，才会惹人非议，说他是借着女儿得官的，
这正是瓜田李下的嫌疑呀！"所以，在瓜田里不要弯
腰穿鞋；在李树下不要举手戴帽子，才不会让人误
会呀！

第 47 篇

sì miàn chǔ gē
四面楚歌

【出处】西汉·司马迁《史记·项羽本纪》

【用法】他得罪了许多同学，正处于四面楚歌的孤立中。

【故事】秦朝末年，刘邦和楚国项羽的争战不断，后来，刘邦就和项羽约定以鸿沟为界限，互不侵犯。但是，刘邦听从张良、陈平的劝告，随后就追击项羽，将他围困在垓下。夜里刘邦军营里唱着楚国的民歌，项羽吃惊地说："四周的汉营里怎么都是楚国人？"于是他绝望地告别心爱的妃子虞姬，带领八百名士兵冲出包围圈，在乌江畔自刎而死。原来项羽听到四面楚歌，便知道自己已经孤立没有援助，只有选择自杀了。

第 48 篇

chū qí zhì shèng
出奇制胜

【出处】chūn qiū · sūn wǔ《孙子·势篇》
春秋·孙武《孙子·势篇》

【用法】qiú chǎng shàng，jiào liàn de lín chǎng cè lüè shì chū qí zhì
球场上，教练的临场策略是出奇制
shèng de guān jiàn
胜的关键。

【故事】zhàn guó shí qī qí mín
战国时期齐缗
wáng tián dì，shì ge zhǐ huì xiǎng
王田地，是个只会享
lè de hūn yōng jūn wáng。lín jìn
乐的昏庸君王。邻近
de yān guó biàn lián hé qí tā guó
的燕国便联合其他国
jiā yì tóng gōng dǎ qí guó，qí
家一同攻打齐国，齐
guó bǎi xìng táo dào jí mò hé jǔ chéng，bǎo cháng guó pò jiā wáng de tòng kǔ。qí
国百姓逃到即墨和莒城，饱尝国破家亡的痛苦。齐
guó rén tián dān，dǒng dé bīng fǎ yě hěn yǒu móu lüè，bǎi xìng jiù xuǎn tā wéi shǒu
国人田单，懂得兵法也很有谋略，百姓就选他为守
chéng lǐng xiù，dāng tā zhī dào yān zhāo wáng guò shì，lì jí pài rén dào yān jīng sàn
城领袖，当他知道燕昭王过世，立即派人到燕京散
bō yáo yán，shǐ xīn rèn yān wáng hé dà chén lè yì shī hé。yān wáng rèn yòng yōng
播谣言，使新任燕王和大臣乐毅失和。燕王任用庸
chén qí jié，yān jūn shì qì huàn sàn dī luò，tián dān chéng jī dài lǐng qí bīng yǐ huǒ
臣骑劫，燕军士气涣散低落，田单乘机带领齐兵以火
niú fǎn gōng，duǎn duǎn jǐ ge yuè jiù shōu fù qí guó shī dì。sī mǎ qiān yīn cǐ
牛反攻，短短几个月就收复齐国失地。司马迁因此
chēng zàn tián dān，shǐ chū shén qí de cè lüè huò dé shèng lì
称赞田单"使出神奇的策略获得胜利"。

第 49 篇

chū lèi bá cuì
出类拔萃

【出处】战国·孟轲《孟子·公孙丑上》

【用法】他的表现出类拔萃，使他顺利赢得胜利。

【故事】孟子一生尊崇孔子，并且将孔子的儒家学说发扬光大。有一天，孟子的学生公孙丑前来问学，他请孟子评论古代的贤者伯夷、伊尹和孔子三人谁最贤能。孟子引用了孔子的学生有若的话说："孔圣人和一般老百姓一样是属同类。但是，孔圣人在

同类中高出一层，就像一丛杂草中长出一株挺拔秀丽的植物，也就是出于其类、拔出其萃。"公孙丑这才明白没有人能在道德、学问上胜过孔圣人。

第50篇

司空见惯

【出处】唐·孟棨《本事诗·情感》

【用法】对于假车祸事件,警察早已司空见惯了。

【故事】刘禹锡是唐朝著名的诗人,也是朝廷里的监察御史。但是,刘禹锡有着文人不愿受约束的性格,在京城里时常受人排挤,最后,被贬官到和州做刺史。卸任后回到京城,有一位曾经做过司空官职的人名叫李绅,非常仰慕刘禹锡的诗文,因此邀请他喝酒,还请了歌伎作陪,席间刘禹锡诗兴大发就作了一首诗:"高髻云鬟新样妆,春风一曲杜韦娘。司空见惯浑闲事,断尽江南刺史肠。"意思是指李司空对歌伎饮酒作乐的场面,早就已经见怪不怪了!

1,
2,
3,
4,

50

第 51 篇

píng bù qīng yún
平步青云

【出处】唐·曹邺《杏园宴呈同年诗》
táng cáo yè xìng yuán yàn chéng tóng nián shī

【用法】他能平步青云地当上校长，也是
tā néng píng bù qīng yún de dāng shàng xiào zhǎng yě shì
靠着努力得来的。
kào zhe nǔ lì dé lái de

超级词替1、
a、
3、

【故事】范雎是战国时魏
fàn jū shì zhàn guó shí wèi

国人，他的口才非常好。
guó rén tā de kǒu cái fēi cháng hǎo

有一次，他随着官员贾
yǒu yí cì tā suí zhe guān yuán jiǎ

须到齐国探访，齐王很
xū dào qí guó tàn fǎng qí wáng hěn

欣赏他的口才，送给他许多礼物和钱。贾须因嫉妒范
xīn shǎng tā de kǒu cái sòng gěi tā xǔ duō lǐ wù hé qián jiǎ xū yīn jí dù fàn

雎，回到魏国就说他的坏话，魏王气得派人将范雎打
jū huí dào wèi guó jiù shuō tā de huài huà wèi wáng qì de pài rén jiāng fàn jū dǎ

伤。范雎在朋友的帮助下逃出魏国，并且化名为
shāng fàn jū zài péng you de bāng zhù xià táo chū wèi guó bìng qiě huà míng wéi

张禄，做了秦国的宰相，还主张攻打魏国。魏王十
zhāng lù zuò le qín guó de zǎi xiàng hái zhǔ zhāng gōng dǎ wèi guó wèi wáng shí

分紧张，派贾须到秦国探访宰相张禄，贾须一见到
fēn jǐn zhāng pài jiǎ xū dào qín guó tàn fǎng zǎi xiàng zhāng lù jiǎ xū yí jiàn dào

化名为张禄的范雎，吓得跪地求饶说："贾不意君能
huà míng wéi zhāng lù de fàn jū xià de guì dì qiú ráo shuō jiǎ bú yì jūn néng

自致青云之上！"意思是：我没想到您能靠自己的力
zì zhì qīng yún zhī shàng yì si shì wǒ méi xiǎng dào nín néng kào zì jǐ de lì

量坐上宰相的高位。
liàng zuò shàng zǎi xiàng de gāo wèi

第52篇

wèi yǔ chóu móu
未雨绸缪

【出处】《诗经·豳风·鸱鸮》

shī jīng bīn fēng chī xiāo

【用法】台风季节来临，我们要未雨绸缪做好

tái fēng jì jié lái lín wǒ men yào wèi yǔ chóu móu zuò hǎo

防台准备。

fáng tái zhǔn bèi

【故事】周武王过世后，由弟弟周公旦辅佐武王未

zhōu wǔ wáng guò shì hòu yóu dì di zhōu gōng dàn fǔ zuǒ wǔ wáng wèi

成年的儿子成王为政，但武王的另一位弟弟管

chéng nián de ér zi chéng wáng wéi zhèng dàn wǔ wáng de lìng yí wèi dì di guǎn

叔却到处放话说："周公旦有野心，由他来辅佐年幼

shū què dào chù fàng huà shuō zhōu gōng dàn yǒu yě xīn yóu tā lái fǔ zuǒ nián yòu

的成王太危险了！"这番话令周公旦十分忧伤，因

de chéng wáng tài wēi xiǎn le zhè fān huà lìng zhōu gōng dàn shí fēn yōu shāng yīn

为他辛勤征战都是为周

wèi tā xīn qín zhēng zhàn dōu shì wèi zhōu

成王铺好执政的路。

chéng wáng pū hǎo zhí zhèng de lù

于是周公旦写下了《鸱

yú shì zhōu gōng dàn xiě xià le chī

鸮》这首诗，以一只母鸟

xiāo zhè shǒu shī yǐ yì zhī mǔ niǎo

哀鸣未能筑好窝巢而失去小鸟的伤痛，来解说自

āi míng wèi néng zhù hǎo wō cháo ér shī qù xiǎo niǎo de shāng tòng lái jiě shuō zì

己的心情。其中几句诗是这样写："迨天之未阴雨，彻

jǐ de xīn qíng qí zhōng jǐ jù shī shì zhè yàng xiě dài tiān zhī wèi yīn yǔ chè

彼桑土，绸缪牖户。"意思是天还没下雨就该先做好

bǐ sāng tǔ chóu móu yǒu hù yì si shì tiān hái méi xià yǔ jiù gāi xiān zuò hǎo

防雨的准备呀！

fáng yǔ de zhǔn bèi ya

第 53 篇

世外桃源
shì wài táo yuán

【出处】晋·陶渊明《桃花源记》

【用法】美丽的兰屿,是我所向往的世外桃源。

【故事】陶渊明是晋朝的大文学家,他向往与世无争、没有搅扰、平和宁静的生活。所以他告别官场仕禄,返回家乡过着恬谧耕种的日子。在文章《桃花源记》中,陶渊明写到有位渔夫划着船进入一片桃花林里,居住在此的是一群为躲避秦朝战乱的人。他们过着与世隔绝、自给自足的生活,完全不知道秦朝灭亡,更不知道改朝换代至晋朝了。渔夫回家之后,就再也找不到与世隔绝的桃花源入口了!

这篇文章充分表达出陶渊明向往桃花源、隐居度日的心情。

第 54 篇

dǎ cǎo jīng shé
打草惊蛇

míng　láng yīng　qī xiū lèi gǎo
【出处】明·郎瑛《七修类稿》

bú yào dǎ cǎo jīng shé　yǐ miǎn gěi dǎi tú yǐ táo tuō de
【用法】不要打草惊蛇，以免给歹徒以逃脱的

jī huì
机会。

táng cháo dāng tú xiàn yǒu ge dì fāng guān míng jiào wáng lǔ　tā shì yí
【故事】唐朝当涂县有个地方官名叫王鲁，他是一

ge tān xīn ài cái　xíng wéi bú zhèng zhí de
个贪心爱财、行为不正直的

guān yuán　yǒu yì tiān　wáng lǔ shōu
官员。有一天，王鲁收

dào yì fēng tóu sù zhuàng　zhuàng
到一封投诉状，状

zhǐ shang xiě mǎn wáng lǔ
纸上写满王鲁

de mì shū tān wū liǎn cái
的秘书贪污敛财

de zuì xíng　wáng lǔ yì
的罪行。王鲁一

biān kàn zhe tóu sù zhuàng　yì biān mào lěng hàn　yīn wèi nà xiē zuì xíng　zhèng qiǎo
边看着投诉状，一边冒冷汗！因为那些罪行，正巧

hé tā zì jǐ tān zāng wǎng fǎ de xíng jìng léi tóng　kàn wán zhuàng zhǐ zhī hòu tā de
和他自己贪赃枉法的行径雷同。看完状纸之后他的

dǎn yě kuài xià pò le　wán quán wàng jì yīng gāi zěn me chǔ zhì　tí qǐ bǐ lái jiù
胆也快吓破了，完全忘记应该怎么处置，提起笔来就

zài zhuàng zhǐ shang xiě le bā ge zì　rǔ suī dǎ cǎo　wú yǐ shé jīng　yì si shì
在状纸上写了八个字：汝虽打草，吾已蛇惊！意思是：

nǐ suī rán zhǐ shì dǎ cǎo　wǒ què xiàng fú cáng zài cǎo li de shé yí yàng　shòu dào
你虽然只是打草，我却像伏藏在草里的蛇一样，受到

le jīng xià
了惊吓！

第 55 篇

bàn tú ér fèi
半途而废

【出处】《礼记·中庸》

【用法】读书做学问，若是半途而废，就永远不会成功。

【故事】战国时期，有一个名叫乐羊的人为了拜师求取学问而告别妻子到外乡去。一年后，乐羊返回家中，妻子

正在织布，诧异地问："你的学业完成了吗？"乐羊说："还没有，因为我很想念你，所以先回来了。"妻子一听，拿起剪刀把织布机上的丝线剪断，说："我现在剪断丝线，前面我日积月累织成的布全都报废了，就像你在外乡求学一样，中途荒废，不也前功尽弃了吗？"乐羊惭愧地背起包袱，返回学堂继续求学，七年后学成归乡，创了一番事业。

gōng kuī yí kuì
功亏一篑

shàng shū   lǔ áo
【出处】《尚 书·旅獒》

liū bīng xuǎn shǒu zài bǐ sài shí   shāo bù liú yì shuāi
【用法】溜 冰 选 手 在 比 赛 时，稍 不 留 意 摔

dǎo   jiù gōng kuī yí kuì yǔ jiǎng pái wú yuán le
倒，就 功 亏 一 篑 与 奖 牌 无 缘 了。

gǔ dài zhàng liáng cháng kuān gāo shì yǐ   rèn   lái jì suàn   yí rèn yǒu
【故事】古 代 丈 量 长 宽 高 是 以 "仞" 来 计 算，一 仞 有

bā chǐ céng yǒu lǔ guó dà fū shuō   zǐ gòng bǐ tā de lǎo shī kǒng zǐ hái yào
八 尺。曾 有 鲁 国 大 夫 说："子 贡 比 他 的 老 师 孔 子 还 要

xián néng ne   zǐ gòng tīng hòu shuō   yǐ qiáng zuò bǐ yù ba   wǒ jiā de qiáng
贤 能 呢！"子 贡 听 后 说："以 墙 做 比 喻 吧！我 家 的 墙

zhǐ yǒu jiān bǎng gāo   shuí dōu kě yǐ cóng qiáng wài kàn jiàn wū zi lǐ miàn   kǒng fū
只 有 肩 膀 高，谁 都 可 以 从 墙 外 看 见 屋 子 里 面；孔 夫

zǐ jiā de qiáng què yǒu shù   rèn   gāo   zhǎo bú dào mén de rén   jiù jiàn bú dào wū
子 家 的 墙 却 有 数 '仞' 高，找 不 到 门 的 人，就 见 不 到 屋

li de yí qiè   yīn cǐ   rèn   shì yòng lai xíng róng hěn gāo de yì si   shàng
里 的 一 切。"因 此 "仞" 是 用 来 形 容 很 高 的 意 思。《尚

shū li jiù shuō   wéi shān jiǔ rèn   gōng kuī yí kuì   jiù shì shuō   duī jǐ yí
书》里 就 说："为 山 九 仞，功 亏 一 篑。"就 是 说，堆 积 一

zuò qī shí èr chǐ gāo de
座 七 十 二 尺 高 的

shān   zuì hòu què yīn wèi
山，最 后 却 因 为

shǎo le yí dàn ní ér wú
少 了 一 担 泥 而 无

fǎ wán chéng   jié guǒ yī
法 完 成，结 果 依

rán shī bài   shí fēn kě xī
然 失 败，十 分 可 惜。

第 57 篇

qiǎo qǔ háo duó
巧取豪夺

1,
2,
3,

【出处】宋·周辉《清波杂志》
sòng zhōu huī qīng bō zá zhì

【用法】这家公司的非法作为，根本就是巧取
zhè jiā gōng sī de fēi fǎ zuò wéi gēn běn jiù shì qiǎo qǔ

豪夺欺诈老百姓的血汗钱。
háo duó qī zhà lǎo bǎi xìng de xuè hàn qián

【故事】宋 朝大书画家米芾的儿子米友仁，和父亲一样
sòng cháo dà shū huà jiā mǐ fú de ér zi mǐ yǒu rén hé fù qīn yí yàng

既写得一手好字，又擅 长作画，他还特别喜好收 藏
jì xiě de yì shǒu hǎo zì yòu shàn cháng zuò huà tā hái tè bié xǐ hào shōu cáng

古人作品。有一次，米友仁在 船 上 看见 王 羲之的真
gǔ rén zuò pǐn yǒu yí cì mǐ yǒu rén zài chuán shang kàn jiàn wáng xī zhī de zhēn

本字帖，立即拿一幅画
běn zì tiè lì jí ná yì fú huà

想交换，未能如愿，
xiǎng jiāo huàn wèi néng rú yuàn

他气急败坏地就要 往
tā qì jí bài huài de jiù yào wǎng

河里跳。还有一次，他
hé li tiào hái yǒu yí cì tā

向 朋友借来一幅《松
xiàng péng you jiè lái yì fú sōng

牛图》来临摹，画完后他把临摹的图 还给朋友而留下
niú tú lái lín mó huà wán hòu tā bǎ lín mó de tú huán gěi péng you ér liú xià

真本。后来米友仁又用同样的方式，取得了许多价值
zhēn běn hòu lái mǐ yǒu rén yòu yòng tóng yàng de fāng shì qǔ dé le xǔ duō jià zhí

非凡的真本古画。因此，有人把他这种运用巧妙骗
fēi fán de zhēn běn gǔ huà yīn cǐ yǒu rén bǎ tā zhè zhǒng yùn yòng qiǎo miào piàn

术取得真本古画的行为，叫做"巧取豪夺"。
shù qǔ dé zhēn běn gǔ huà de xíng wéi jiào zuò qiǎo qǔ háo duó

第 58 篇

yǐ bào yì bào
以暴易暴

【出处】西汉·司马迁《史记·伯夷列传》

【用法】他打你一拳，你就还他一拳，以暴易暴，将后患无穷。

【故事】商朝时期有一小国叫孤竹国，伯夷和叔齐是国君的儿子。国君死时，留下遗嘱立伯夷的弟弟叔齐为国君，叔齐因哥哥在世不肯就任，伯夷也不愿违背父亲的决定，于是他们两人就逃走了，来到西伯侯姬昌治理下的西岐。这时，已是西伯侯姬昌的儿子周武王执掌王权了。因伯夷、叔齐反对武王去攻打商朝暴君纣王，等武王灭掉商朝，他们俩因不愿吃周朝的食物而躲入山中饥饿而死。他们曾经写了一首歌谣唱道："以暴易暴，不知其非矣。"意思是：走了暴君纣王又来一个暴君武王啊！

第 59 篇

bái miàn shū shēng
白面书生

【出处】南朝·沈约《宋书·沈庆之传》

【用法】他一副白面书生的模样，怎么能参与决策这么重大的事件？

【故事】南朝宋国有一个名叫沈庆之的人，十分英勇豪气，十几岁就多次参加战役且屡战屡胜。后来，沈庆之因讨伐蛮夷有功而荣升为建武将军，负责戍守边疆。南宋文帝想要北伐扩张国土，但是，沈庆之力劝文帝不可轻言挑起战事，以免得不偿失。文帝不愿

听沈庆之的话，就派了两位从未打过仗的文官和他争辩。于是沈庆之说："想要去攻打别人的国家，却和没有经历过战事的白面书生商量，这样能成功吗？"最后，文帝听信了文官的建议，果然失败了。

第 60 篇

ān bù dàng chē
安步当车

【出处】西汉·刘向《战国策·齐策》

【用法】他办完了事,立刻在附近吃了饭,一个下午,都一个人安步当车,出门逍遥自在去了。

【故事】战国时期,齐国有一位贤士名叫颜斶,他的人品文章极佳,生活简约又不爱慕虚荣。有一天,齐宣王召见他,说:"颜斶你过来。"颜斶也说:"宣王你过来。"齐宣王生气地问:"君王高贵还是贤士高贵?"颜斶说:"从前秦王曾命令说,谁要砍伐贤士柳下惠坟上的树处死刑,但谁能取下齐王的头赏千金?所以贤士比君王高贵。"齐宣王听了大笑说:"我要拜你为师,让你享受荣华富贵。"颜斶说:"我生活简约,安步可以当车,晚食可以当肉,无福享受哇!"

第61篇

míng luò sūn shān
名落孙山

sòng fàn gōng chēng guò tíng lù
【出处】宋·范公偁《过庭录》

gāng kǎo wán shì tā jiù yù gǎn zì jǐ huì míng luò sūn shān, suǒ yǐ xīn qíng hěn bù hǎo
【用法】刚考完试他就预感自己会名落孙山，所以心情很不好。

sòng cháo yǒu wèi cái zǐ míng jiào sūn shān, jì cōng míng yòu yōu mò, rén chēng huá jī cái zǐ. yǒu yí cì, sūn shān hé yí wèi tóng xiāng de ér zi yì tóng qù kǎo jǔ rén, fàng bǎng de shí hou, sūn shān de míng zi zài bǎng dān shang shì zuì hòu yì míng, ér tóng xiāng de ér zi què méi yǒu kǎo shàng. sūn shān huí xiāng hòu, tóng xiāng biàn qù wèn tā de ér zi kǎo zhòng le méi yǒu. sūn shān bú yuàn yì zhí jié liǎo dàng de shuō, biàn wěi wǎn de shuō: "jiě míng jìn chù shì sūn shān, lìng láng gèng zài sūn shān wài." yì si jiù shì bǎng dān de mò wěi shì sūn shān, tóng xiāng ér zi de míng zi luò zài sūn shān hòu, yě jiù shì míng luò sūn shān——méi kǎo shàng. cóng cǐ dà jiā jiù yán yòng zhè jù huà, lái xíng róng kǎo shì méi yǒu bèi lù qǔ de rén.
【故事】宋朝有位才子名叫孙山，既聪明又幽默，人称滑稽才子。有一次，孙山和一位同乡的儿子一同去考举人，放榜的时候，孙山的名字在榜单上是最后一名，而同乡的儿子却没有考上。孙山回乡后，同乡便去问他的儿子考中了没有。孙山不愿意直截了当地说，便委婉地说：“解名尽处是孙山，令郎更在孙山外。”意思就是榜单的末尾是孙山，同乡儿子的名字落在孙山后，也就是名落孙山——没考上。从此大家就延用这句话，来形容考试没有被录取的人。

第62篇

自惭形秽
zì cán xíng huì

【出处】南朝·刘义庆《世说新语·容止》
nán cháo liú yì qìng shì shuō xīn yǔ róng zhǐ

【用法】他美慕而又忌恨那些高高在上的人，
tā xiàn mù ér yòu jì hèn nà xiē gāo gāo zài shàng de rén
在这些人面前，他总是自惭形秽。
zài zhè xiē rén miàn qián tā zǒng shì zì cán xíng huì

【故事】东汉光武帝时，有一位隐士名叫王霸，光武
dōng hàn guāng wǔ dì shí yǒu yí wèi yǐn shì míng jiào wáng bà guāng wǔ
帝很赏识他高尚的品格，常常请他来做官，他都
dì hěn shǎng shí tā gāo shàng de pǐn gé cháng cháng qǐng tā lái zuò guān tā dōu
拒绝了。王霸有位朋友叫令狐子伯，接受了官位，但
jù jué le wáng bà yǒu wèi péng you jiào líng hú zǐ bó jiē shòu le guān wèi dàn
生活作风和王霸截然不同。有一天，令狐命儿子送
shēng huó zuò fēng hé wáng bà jié rán bù tóng yǒu yì tiān líng hú mìng ér zi sòng
信给王霸，王霸的儿子蓬头垢面地从田里赶回来，
xìn gěi wáng bà wáng bà de ér zi péng tóu gòu miàn de cóng tián li gǎn huí lai
见到令狐的儿子光鲜华贵的模样，王霸的儿子感到
jiàn dào líng hú de ér zi guāng xiān huá guì de mú yàng wáng bà de ér zi gǎn dào
很难为情，头都不敢抬起来。王霸见了这窘况，自责
hěn nán wéi qíng tóu dōu bù gǎn tái qi lai wáng bà jiàn le zhè jiǒng kuàng zì zé
地对妻子说："我看见儿
de duì qī zi shuō wǒ kàn jiàn ér
子见了人一副自惭形秽
zi jiàn le rén yí fù zì cán xíng huì
的窘况，觉得自己并没
de jiǒng kuàng jué de zì jǐ bìng méi
有尽责把儿子照顾好，
yǒu jìn zé bǎ ér zi zhào gù hǎo
心里很难过。"
xīn li hěn nán guò

62

第 63 篇

zì bú liàng lì
自不量力

【出处】春秋·左丘明《左传·隐公十一年》
chūn qiū zuǒ qiū míng zuǒ zhuàn yǐn gōng shí yī nián

【用法】他从未登过山，如今却自不量力地
tā cóng wèi dēng guo shān rú jīn què zì bú liàng lì de

挑战喜马拉雅山，真令人担心。
tiāo zhàn xǐ mǎ lā yǎ shān zhēn lìng rén dān xīn

【故事】孔子的贤德与智
kǒng zǐ de xián dé yǔ zhì

能是被大家所推崇景
néng shì bèi dà jiā suǒ tuī chóng jǐng

仰的，因此大家尊称他
yǎng de yīn cǐ dà jiā zūn chēng tā

为"至圣先师"。但是，
wéi   zhì shèng xiān shī   dàn shì

仍有人诋毁批评他，孔
réng yǒu rén dǐ huǐ pī píng tā kǒng

子的学生子贡就站出来为老师说话。子贡说："无
zǐ de xué sheng zǐ gòng jiù zhàn chu lai wèi lǎo shī shuō huà zǐ gòng shuō   wú

所谓，孔夫子是没有人可毁谤的！别人的贤能就像一
suǒ wèi kǒng fū zǐ shì méi yǒu rén kě huǐ bàng de bié ren de xián néng jiù xiàng yí

座丘陵，很容易超越，孔夫子的贤能就好比日月星
zuò qiū líng hěn róng yì chāo yuè kǒng fū zǐ de xián néng jiù hǎo bǐ rì yuè xīng

辰，没有人可以超越的。一个人想要将自己摒弃在日
chén méi yǒu rén kě yǐ chāo yuè de   yí ge rén xiǎng yào jiāng zì jǐ bìng qì zài rì

月之外，那对日月有什么损伤呢？只是表明这人太自
yuè zhī wài nà duì rì yuè yǒu shén me sǔn shāng ne   zhǐ shì biǎo míng zhè rén tài zì

不量力罢了！"后来就有人引用子贡说的"自不量力"
bú liàng lì bà le   hòu lái jiù yǒu rén yǐn yòng zǐ gòng shuō de   zì bú liàng lì

来形容人想做超越自己能力所及的事。
lái xíng róng rén xiǎng zuò chāo yuè zì jǐ néng lì suǒ jí de shì

第64篇

lǎo shēng cháng tán
老生常谈

【出处】晋·陈寿《三国志·魏书·管辂传》

【用法】老师说的话虽都是老生常谈，但每次都使我对自己的信心大增。

【故事】三国时期，魏国的管辂是个对占卜很有研究的人。有一天，尚书何晏、邓飏请管辂去占卜。何晏说："管先生是未卜先知，请帮我看看能不能登上最高的官职？最近我也常常梦到青蝇扑鼻赶也赶不走，这是怎么回事呢？"

管辂说："您的严肃威武令人害怕，要升上最高官职很难；青蝇扑鼻的梦是提醒您应多效法才德贤能兼备的周文王、孔夫子。"在一旁的邓飏生气地说："这些都是老生常谈，毫无新意，听了叫人厌烦。"从此，大家就把了无新意的话称为老生常谈。

64

第 65 篇

lǎo dāng yì zhuàng
老当益壮

【出处】南朝·范晔《后汉书·马援传》
nán cháo fàn yè   hòu hàn shū mǎ yuán zhuàn

【用法】体育老师快退休了,还在马拉松赛跑
tǐ yù lǎo shī kuài tuì xiū le   hái zài mǎ lā sōng sài pǎo
中夺得冠军,真是老当益壮啊。
zhōng duó dé guàn jūn   zhēn shì lǎo dāng yì zhuàng a

【故事】马援是汉朝扶风郡的一位壮士,他不但武艺
mǎ yuán shì hàn cháo fú fēng jùn de yí wèi zhuàng shì   tā bú dàn wǔ yì
精湛,还遍读经书、通达事理。有一次,马援被派往洛
jīng zhàn hái biàn dú jīng shū tōng dá shì lǐ yǒu yí cì mǎ yuán bèi pài wǎng luò
阳晋见东汉光武帝,光武帝谦逊的态度令马援十
yáng jìn jiàn dōng hàn guāng wǔ dì   guāng wǔ dì qiān xùn de tài dù lìng mǎ yuán shí
分感动,就自愿留在洛阳辅佐光武帝。骁勇善战
fēn gǎn dòng   jiù zì yuàn liú zài luò yáng fǔ zuǒ guāng wǔ dì   xiāo yǒng shàn zhàn
的他,确实为光武帝立下不少汗马功劳。当马援到
de tā   què shí wèi guāng wǔ dì lì xià bù shǎo hàn mǎ gōng láo   dāng mǎ yuán dào
六十二岁的年纪,还要披上战甲去平定洞庭湖的
liù shí èr suì de nián jì   hái yào pī shang zhàn jiǎ qù píng dìng dòng tíng hú de
乱事时。光武帝说:"你年纪太大了吧!"马援却一
luàn shì shí guāng wǔ dì shuō   nǐ nián jì tài dà le ba   mǎ yuán què yí
跃上马,表示自己依然健壮。光武帝笑着说:"马
yuè shàng mǎ biǎo shì zì jǐ yī rán jiàn zhuàng guāng wǔ dì xiào zhe shuō mǎ
援真是老当益
yuán zhēn shì lǎo dāng yì
壮啊!"果然马援
zhuàng a   guǒ rán mǎ yuán
又成功地平定了
yòu chéng gōng de píng dìng le
乱事。
luàn shì

第 66 篇

rú zuò zhēn zhān
如 坐 针 毡

【出处】唐·房玄龄《晋书·杜锡传》

【用法】在警察局里，犯人们心慌意乱，如坐
针毡。

【故事】杜锡是晋朝人杜预的儿子，

因为从小家学良好，年

轻的时候就以知识渊

博闻名。杜锡后来成

为愍怀太子的总管，

为太子处理宫中的一切事务。愍怀太子是个散漫任

性、不受管教的人，杜锡常常给他讲为人处事的道

理，太子听烦了很不高兴，就派人偷偷在杜锡平日坐的

毡毯上插许多针，杜锡被针扎得遍体鳞伤、鲜血

直流。愍怀太子还趁机教训杜锡说："原来你也有不小

心的时候！"后来大家就引用"如坐针毡"来形容处在

愁苦不安中的人。

第 67 篇

rú yú dé shuǐ
如鱼得水

【出处】晋·常璩《华阳国志·刘先主志》

【用法】刘备遇到了孔明，真是如鱼得水。

【故事】刘备，是个胸怀大志、一心想要重振汉室声威的人。他为了邀请诸葛孔明辅助他建立功业，曾经三顾茅庐，直到第三次诸葛孔明才愿意见他，并且建议刘备与曹操、孙权三分天下各自鼎立于一方。刘备从此和诸

葛孔明建立了很好的感情，但他的两位义弟关羽、张飞却不高兴。刘备于是对他二人说："我得了孔明，就像鱼得了水一般快乐，你们不该再说他的闲话了。"后来，人们就用"如鱼得水"来比喻人与人，或人面对环境悠游自在的景况。

第68篇

duō duō yì shàn
多多益善

【出处】西汉·司马迁《史记·淮阴侯列传》

【用法】我们在求知的时候，要有多多益善的精神，这样才能学好知识。

【故事】楚汉相争时，韩信从项羽军营转向投靠刘邦，未受重用，就偷偷逃走。宰相萧何知道韩信是个人才，出营寻找韩信，三天后才把韩信带回。刘邦很生气地说："军中又不少一个无名小卒，追他回来有什么用？"萧何说："这人必定要当统帅。"后来，刘邦发现韩信很会带兵，就任用他当统帅。有一天，刘邦问韩信："朕可以带兵几人？"韩信说："十万人。"刘邦又问："你呢？"韩信说："当

然是多多益善。"后人便将此语用来表示各样事物越多越好。

第 69 篇

xiān fā zhì rén
先发制人

【出处】东汉·班固《汉书·项籍传》
dōng hàn   bān gù   hàn shū   xiàng jí zhuàn

【用法】比赛已经到了关键时刻，我们必须先
bǐ sài yǐ jīng dào le guān jiàn shí kè   wǒ men bì xū xiān
发制人。
fā zhì rén

【故事】秦朝因二世皇帝
qín cháo yīn èr shì huáng dì
昏庸暴虐，大家都想推
hūn yōng bào nüè   dà jiā dōu xiǎng tuī
翻他。项羽的叔父项梁
fān tā   xiàng yǔ de shū fù xiàng liáng
颇有势力，也很受爱戴。
pō yǒu shì lì   yě hěn shòu ài dài

因此，当会稽太守殷通找项梁协商当前的局势
yīn cǐ   dāng kuài jī tài shǒu yīn tōng zhǎo xiàng liáng xié shāng dāng qián de jú shì
时，项梁说："现在各地义军四起，是上天要灭亡秦
shí   xiàng liáng shuō   xiàn zài gè dì yì jūn sì qǐ   shì shàng tiān yào miè wáng qín
朝，先发动战事的可以制服人，后发动的就被人制
cháo   xiān fā dòng zhàn shì de kě yǐ zhì fú rén   hòu fā dòng de jiù bèi rén zhì
伏。"接着项梁借故到屋外，把项羽叫进屋来将殷通
fú   jiē zhe xiàng liáng jiè gù dào wū wài   bǎ xiàng yǔ jiào jìn wū lái jiāng yīn tōng
杀了。项梁立即宣布反抗秦二世暴政，很快就号
shā le   xiàng liáng lì jí xuān bù fǎn kàng qín èr shì bào zhèng   hěn kuài jiù hào
召起来八千精兵。项羽就是靠这八千精兵打下楚国
zhào qǐ lai bā qiān jīng bīng   xiàng yǔ jiù shì kào zhè bā qiān jīng bīng dǎ xià chǔ guó
江山的。"先发制人"的成语，就是如项梁所说的，
jiāng shān de   xiān fā zhì rén de chéng yǔ   jiù shì rú xiàng liáng suǒ shuō de
先下手取得主动，制伏对方。
xiān xià shǒu qǔ dé zhǔ dòng   zhì fú duì fāng

第70篇

zhōu guān fàng huǒ

州 官 放 火

【出处】宋·陆游《老学庵笔记五》

【用法】班长每次都不守规定还要管我们，真是只准州官放火不许百姓点灯！

【故事】宋朝有位新任州官叫田登，十分霸道，他对自己的名字很在意，譬如他的小名叫阿登，州里的百姓就不准叫阿登。因为登与灯同音，所以不准讲点灯，要讲点火，违规的人会因侮辱州官罪

名被判刑。有一年元宵节，依照惯例全国州郡都要做花灯，然后放灯三天。田登管辖的州郡也不例外，但是负责写告示的人不敢写"灯"字，于是贴在各市集的告示变成了："本州依例放火三天。"从此，人们就拿这张告示来开玩笑说："只准州官放火，不许百姓点灯！"

第 71 篇

yǒu zhì jìng chéng
有志竟成

【出处】南朝·范晔《后汉书·耿弇传》

【用法】我相信有志竟成，这项任务一定会完成的。

【故事】东汉的耿弇，是汉光武帝刘秀打天下建王朝时招募的大将。有一次，刘秀派遣他去临淄东城攻打张步，刚开战，耿弇的大腿就受伤了。但他却依然奋战，部属们劝他休战等待刘秀援兵到了再开战。耿弇说："我们应该宰牛备酒恭迎主君，怎能等主君救援呢？"兵士们听了军心大振，一鼓作气打败敌军。当刘秀知道耿弇带伤赴战，攻破诸城，为东汉王朝奠立好的根基时，于是欣慰地赞赏耿弇说："你真是有志者事竟成啊！"后人便将刘秀的话引申为成语"有志竟成"。

第72篇

yǒu bèi wú huàn
有备无患

shàng shū shuō mìng zhōng
【出处】《尚书·说命中》

mǎ yǐ měi tiān máng lù zhe chǔ bèi shí wù zhè yàng dōng
【用法】蚂蚁每天忙碌着储备食物，这样冬
tiān jiù yǒu bèi wú huàn le
天就有备无患了。

chūn qiū shí qī jìn dào
【故事】春秋时期，晋悼
gōng shì yí wèi yīng míng de jūn
公是一位英明的君
zhǔ zài dà chén wèi jiàng de fǔ
主，在大臣魏绛的辅
zhù xià guó shì rì jiàn qiáng shèng
助下国势日渐强盛。
yǒu yí cì zhèng guó chū bīng qīn
有一次，郑国出兵侵

fàn sòng guó sòng guó xiàng jìn guó qiú jiù jìn dào gōng lì kè zhào jí shí yī guó
犯宋国，宋国向晋国求救，晋悼公立刻召集十一国
de jūn duì zài wèi jiàng shuài lǐng xià wéi zhù zhèng guó dū chéng zhèng guó hài pà
的军队，在魏绛率领下围住郑国都城。郑国害怕
le jiù hé shí èr guó qiān dìng hé píng tiáo yuē zhèng guó sòng le xǔ duō lǐ wù
了，就和十二国签订和平条约。郑国送了许多礼物
gěi jìn dào gōng biǎo shì gǎn xiè zhī yì dào gōng zhuǎn zèng lǐ wù gěi wèi jiàng
给晋悼公，表示感谢之意，悼公转赠礼物给魏绛
shí què bèi tā wǎn jù wèi jiàng shuō zhǔ jūn yīng jǐn jì shū jīng suǒ yán
时，却被他婉拒。魏绛说："主君应谨记《书经》所言
jū ān sī wēi sī zé yǒu bèi yǒu bèi wú huàn na yì si shì yì guó zhī
'居安思危，思则有备，有备无患哪！'"意思是一国之
jūn zài ān yì zhōng yě gāi xiǎng dào guó jiā jiāng yǒu kùn nan yǔ wēi xiǎn shí yīng
君在安逸中，也该想到国家将有困难与危险时，应
suí shí zuò hǎo zhǔn bèi
随时做好准备。

第 73 篇

qǔ gāo hè guǎ
曲高和寡

【出处】战国·宋玉《对楚王问》

【用法】他讲的东西太深奥了,曲高和寡,大家都听不懂。

【故事】宋玉是春秋战国时期楚国的大夫,他写的文章很深奥,百姓们都看不懂,所以很少有人赞美他,楚王于是找宋玉谈话。宋玉说:"有一个人在城里唱歌,刚开始唱通俗歌曲,人们容易懂,有数千人跟着他唱,可是当他唱起艺术歌曲时,懂的人

少、唱和的人就少了,因为曲调高,能唱和的人自然就减少了。"宋玉的文章正是如此。所以他说:"沟溪里的小鱼,怎么能知道大海的奥妙呢!"后来,大家就用宋玉说的"曲高和寡"来比喻作品的格调太高,能了解的人太少。

第 74 篇

jiāng láng cái jìn
江郎才尽

【出处】南朝·钟嵘《诗品·齐光禄江淹》
nán cháo   zhōng róng shī pǐn   qí guāng lù jiāng yān

【用法】他成名后，整天游手好闲，不再努
tā chéng míng hòu   zhěng tiān yóu shǒu hǎo xián   bú zài nǔ
力，现在已经江郎才尽，写不出好的
lì   xiàn zài yǐ jīng jiāng láng cái jìn   xiě bù chū hǎo de
作品来了。
zuò pǐn lai le

【故事】江淹是南北朝时期的人，自幼家里很贫穷，但
jiāng yān shì nán běi cháo shí qī de rén   zì yòu jiā li hěn pín qióng   dàn
他很爱读书，苦学不辍，长大后不论文章或诗都写
tā hěn ài dú shū   kǔ xué bú chuò   zhǎng dà hòu bú lùn wén zhāng huò shī dōu xiě
得极好，获得很高的评价。但是，江淹到了老年，文
de jí hǎo   huò dé hěn gāo de píng jià   dàn shì   jiāng yān dào le lǎo nián   wén
章和诗都写得平淡无味，退步了许多。传说，有一次
zhāng hé shī dōu xiě de píng dàn wú wèi   tuì bù le xǔ duō   chuán shuō   yǒu yí cì
江淹在亭下睡觉，梦见一个叫郭璞的人向他要笔，他
jiāng yān zài tíng xià shuì jiào   mèng jiàn yí ge jiào guō pú de rén xiàng tā yào bǐ   tā
掏出一支五色笔给郭璞，从此他就再也写不出佳言美句
tāo chu yì zhī wǔ sè bǐ gěi guō pú   cóng cǐ tā jiù zài yě xiě bù chū jiā yán měi jù
了。但事实却是，江淹对自己的诗文过于自满，停止学
le   dàn shì shí què shì   jiāng yān duì zì jǐ de shī wén guò yú zì mǎn   tíng zhǐ xué
习才会退步的。只因他
xí cái huì tuì bù de   zhǐ yīn tā
年轻时才气过高，才会
nián qīng shí cái qì guò gāo   cái huì
让人为他惋惜，说他是
ràng rén wèi tā wǎn xī   shuō tā shì
"江郎才尽"。
jiāng láng cái jìn

第 75 篇

wěn jǐng zhī jiāo
刎颈之交

【出处】西汉·司马迁《史记·廉颇蔺相如列传》

【用法】我们既然是刎颈之交，就应该互相帮忙，分忧解难。

【故事】战国时期，廉颇和蔺相如都是赵

国的大臣。但因为蔺相如立了大功，他的权位在老将军廉颇之上，廉颇因此发怒，扬言不与蔺相如共事。蔺相如知道后处处礼让，并且装病不上朝避免见到廉颇。蔺相如的随从问："您为什么要怕廉将军？"蔺相如说："秦国因为畏惧我俩而不敢侵略赵国，为了国泰民安，我忍让些无妨啊！"廉颇得知此事后，觉得很羞愧，赤身背负荆条去向蔺相如道歉，道歉书上写着："卒与相欢，为刎颈之交。"后人就用"刎颈之交"形容友谊深厚。

第 76 篇

tóu bǐ cóng róng
投笔从戎

【出处】南朝·范晔《后汉书·班超传》

【用法】因为他想开战斗机，所以决定投笔从戎，一圆飞行梦。

【故事】班超是东汉人，从小就立志要成为英勇的将军，保家卫国。为了生活，班超替官府誊写文件，赚取微薄的薪水，可

是，这样的生活他并不喜欢。有一天，他正在写字，突然把笔重重地摔在地上，说："大丈夫应当像张骞一样出使边疆保卫国家，不应该埋头在笔墨生涯里！"后来，他凭借自己的努力，果然被派出使西域，使五十多个国家和汉朝建立友好邦交。班超戍守在西域边防长达三十一年，直到老年时才回国。"投笔从戎"就是班超志在四方，弃笔卫国的故事。

第 77 篇

zuò fǎ zì bì
作法自毙

【出处】西汉·司马迁《史记·商君列传》
xī hàn sī mǎ qiān shǐ jì shāng jūn liè zhuàn

【用法】班长定出一堆不合理的规定，总有
bān zhǎng dìng chū yì duī bù hé lǐ de guī dìng zǒng yǒu
一天他会像商鞅一样作法自毙。
yì tiān tā huì xiàng shāng yāng yí yàng zuò fǎ zì bì

【故事】战国时期，秦孝公任用当时著名的政治家
zhàn guó shí qī qín xiào gōng rèn yòng dāng shí zhù míng de zhèng zhì jiā
商鞅来变法改革。商鞅制定的新法，完全符合当
shāng yāng lái biàn fǎ gǎi gé shāng yāng zhì dìng de xīn fǎ wán quán fú hé dāng
时秦国生产和军事扩张的要求。因此，秦国的实力很
shí qín guó shēng chǎn hé jūn shì kuò zhāng de yāo qiú yīn cǐ qín guó de shí lì hěn
快就变得强盛了。但是，商鞅的变法得罪了许多
kuài jiù biàn de qiáng shèng le dàn shì shāng yāng de biàn fǎ dé zuì le xǔ duō
贵族，当秦孝公过世，秦惠公登位后，贵族们就向
guì zú dāng qín xiào gōng guò shì qín huì gōng dēng wèi hòu guì zú men jiù xiàng
惠公告状说商鞅造反，使他受逼逃亡。商鞅逃
huì gōng gào zhuàng shuō shāng yāng zào fǎn shǐ tā shòu bī táo wáng shāng yāng táo
到一家客栈时，客栈老板说："商鞅律法规定要验
dào yì jiā kè zhàn shí kè zhàn lǎo bǎn shuō shāng yāng lǜ fǎ guī dìng yào yàn
明客人身份，违者处死
míng kè rén shēn fen wéi zhě chǔ sǐ
刑。"商鞅听了大叹：
xíng shāng yāng tīng le dà tàn

"我真是作法自毙呀！"
wǒ zhēn shì zuò fǎ zì bì ya

商鞅没料到自己立下
shāng yāng méi liào dào zì jǐ lì xià
的新法会害惨了自己。
de xīn fǎ huì hài cǎn le zì jǐ

第 78 篇

hán shā shè yǐng
含沙射影

【出处】晋·干宝《搜神记》

【用法】她总是含沙射影地伤害别人，因此大家都讨厌她。

【故事】传说在春秋时期，从周惠王的宫里流传出来大量的玉，变成了一种甲虫，名叫蜮。这种虫背上有硬壳，头上长角，身体两侧有翅膀，可以飞到上空来袭击人的头部。它没有眼睛，但耳朵特别灵敏，口中有一个横膜像弓一样，只要听到人的声音，它就会辨定方位距离，将口中含的沙喷射向人。被射中的人，皮肤都长出含毒素的疮，被射中影子的人，也会生病。后来就有人用"含沙射影"来比喻在背地里搬弄是非害人的阴谋，或是放暗箭伤人的行为。

第 79 篇

fáng wēi dù jiàn
防微杜渐

【出处】南朝·范晔《后汉书·丁鸿传》

【用法】为了公共安全,任何公共设施的维护都应该做到防微杜渐。

【故事】东汉和帝时,窦太后和她的哥哥把持政权,造成了朝政的混乱。有位丞相名叫丁鸿,趁日食出现的机会呈一封密奏给和帝,说:"日食出现是警告我们将有祸事,您若能亲自处理朝政,从小事着手整顿,必能杜绝祸事了。请记住,滴滴细

水可以穿透岩石;浓荫蔽日的大树也是从小树长成的。所以我们要从小事情改善,否则过错根深蒂固时就难处理了。"丁鸿的这份密奏就被引申为成语"防微杜渐",提醒人防弊端要从小处着手。

第 80 篇

助纣为虐
zhù zhòu wéi nüè

【出处】西汉·司马迁《史记·留侯世家》
xī hàn sī mǎ qiān shǐ jì liú hóu shì jiā

【用法】阿丽干坏事，你不但不劝她改邪归正，
ā lì gàn huài shì nǐ bú dàn bú quàn tā gǎi xié guī zhèng

反而助纣为虐。
fǎn ér zhù zhòu wéi nüè

【故事】汉高祖刘邦 曾 率 兵 攻破秦国潼关后，一路
hàn gāo zǔ liú bāng céng shuài bīng gōng pò qín guó tóng guān hòu yí lù

乘 胜 追击歼灭了秦国残兵，接受秦太子子婴的投
chéng shèng zhuī jǐ jiān miè le qín guó cán bīng jiē shòu qín tài zǐ zǐ yīng de tóu

降，就直入国都咸阳。刘邦见到秦王的宫殿如此雄
xiáng jiù zhí rù guó dū xián yáng liú bāng jiàn dào qín wáng de gōng diàn rú cǐ xióng

伟富丽，还有价值连 城 的财宝及漂亮的妃子，就想留
wěi fù lì hái yǒu jià zhí lián chéng de cái bǎo jí piāo liang de fēi zi jiù xiǎng liú

在宫殿里享乐。张 良劝告他说："秦王残暴无道，
zài gōng diàn li xiǎng lè zhāng liáng quàn gào tā shuō qín wáng cán bào wú dào

才会被您打败，您应改变秦王奢靡淫乐的恶行，以朴实
cái huì bèi nín dǎ bài nín yīng gǎi biàn qín wáng shē mí yín lè de è xíng yǐ pǔ shí

勤俭来取信人民。如果贪恋秦王的享乐奢靡，就是助桀
qín jiǎn lái qǔ xìn rén mín rú guǒ tān liàn qín wáng de xiǎng lè shē mí jiù shì zhù jié

为虐。"后来，人们
wéi nüè hòu lái rén men

又引申出"助纣为
yòu yǐn shēn chu zhù zhòu wéi

虐"的 成 语，因为
nüè de chéng yǔ yīn wèi

纣和桀都是历史
zhòu hé jié dōu shì lì shǐ

上最暴虐的国君。
shang zuì bào nüè de guó jūn

第 81 篇

hú lún tūn zǎo
囫囵吞枣

sòng   zhū xī   dá xǔ shùn zhī shū
【出处】宋·朱熹《答许顺之书》

dú shū yào néng míng shì lǐ   bú yào hú lún tūn zǎo
【用法】读书要能明事理，不要囫囵吞枣。

yǒu yí wèi yī shēng xiàng rén jiě shì lí hé zǎo de gōng néng shuō chī
【故事】有一位医生向人解释梨和枣的功能，说："吃

lí duì rén de yá chǐ yǒu yì chù dàn shì duì pí zàng què háo wú yì chù chī zǎo
梨对人的牙齿有益处，但是，对脾脏却毫无益处；吃枣

zi zhèng hǎo xiāng fǎn
子，正好相反，

duì rén de pí zàng yǒu
对人的脾脏有

yì chù duì yá chǐ wú
益处，对牙齿无

yì chù páng biān de
益处。"旁边的

rén tīng le jiù shuō wǒ
人听了就说："我

dào yǒu ge liǎng quán qí
倒有个两全其

měi de bàn fǎ nà jiù shì chī lí de shí hou yòng yá chǐ jǔ jué bù tūn jìn dù li
美的办法，那就是吃梨的时候，用牙齿咀嚼不吞进肚里，

chī zǎo zi shí jiù bú yòng jǔ jué zhí jiē tūn rù dù zhōng rú cǐ jiù kě shǐ pí
吃枣子时，就不用咀嚼直接吞入肚中，如此就可使脾

zàng hé yá chǐ dōu dé dào zī yǎng le yī shēng tīng le lián lián yáo tóu què yě dá
脏和牙齿都得到滋养了。"医生听了连连摇头，却也答

bú shàng huà lai hòu rén jiù bǎ zhè zhǒng chī zǎo de fāng fǎ chēng wéi hú lún tūn
不上话来。后人就把这种吃枣的方法称为"囫囵吞

zǎo bǐ yù rén duì dài shì wù bù qiú shēn rù lǐ jiě de tài dù
枣"，比喻人对待事物不求深入理解的态度。

第82篇

wán bì guī zhào
完璧归赵

【出处】西汉·司马迁《史记·廉颇蔺相如列传》

【用法】这是我昨天捡到的你的钱包，现在完璧归赵，你检查一下。

【故事】秦昭王听说赵惠文王得到一个稀世珍宝和氏璧，立刻派人对赵王说："秦国愿意以十五座城池换取和氏璧。"赵王于是派蔺相如把和氏璧带到秦国。

秦王很快就传见蔺相如，并问："和氏璧带来了吗？"蔺相如说："带来了。"得到和氏璧后秦王却把蔺相如当

做是来献璧的，绝口不提交换城池的事。蔺相如又从秦王手中骗到和氏璧生气地说："大王您是存心欺骗赵国的吗？"秦王则说："难道你可以把璧带回去吗？"蔺相如坚定无惧地说："我的头可撞破，和氏璧也能摔破。"秦王只好答应交换城池。而蔺相如派人连夜带着和氏璧安全完好地回到赵国。

第 83 篇

yán guò qí shí
言过其实

【出处】晋·陈寿《三国志·蜀书·马良传》

【用法】她讲话一向言过其实，你不要轻意相信她。

【故事】三国时期，关羽被吴国吕蒙设计擒拿，后被孙权下令斩首。刘备为此既伤心又急于复仇，因而被打败且一病不起，临终前刘备将幼子刘禅托付给诸葛亮。并对他说："马谡这个人，说话夸大不实在，常常言过其实，丞相用他要格外留意。"刘备过世，魏将司马懿出兵攻打街亭，马谡自愿戍守街亭，结果因不听将令使街亭失守。诸葛亮愤而下令处决马谡，这时诸葛亮想起刘备生前的嘱咐，不禁失声痛哭。

第84篇

返老还童
fǎn lǎo huán tóng

【出处】汉·史游《急就篇》
hàn shǐ yóu jí jiù piān

【用法】她和小朋友在一起时，就返老还童，
tā hé xiǎo péng you zài yì qǐ shí jiù fǎn lǎo huán tóng
变得像孩子一样。
biàn de xiàng hái zi yí yàng

【故事】汉朝时刘安
hàn cháo shí liú ān
曾是淮南王，他虽
céng shì huái nán wáng tā suī
然享有荣华富贵，
rán xiǎng yǒu róng huá fù guì
但还是不满足，因为
dàn hái shi bù mǎn zú yīn wèi
他很想拥有长生
tā hěn xiǎng yōng yǒu cháng shēng
不老的生命。某一天，有八位自称神仙的老人去拜
bù lǎo de shēng mìng mǒu yì tiān yǒu bā wèi zì chēng shén xiān de lǎo rén qù bài
访刘安，但门房不愿让老人们进屋里，还说："神仙
fǎng liú ān dàn mén fáng bú yuàn ràng lǎo rén men jìn wū li hái shuō shén xiān
都是不会老也不会死的，看你们老得都走不动的样
dōu shì bú huì lǎo yě bú huì sǐ de kàn nǐ men lǎo de dōu zǒu bú dòng de yàng
子，说是骗子我才相信呢！"八位老人听了笑着说："你
zi shuō shì piàn zi wǒ cái xiāng xìn ne bā wèi lǎo rén tīng le xiào zhe shuō nǐ
不喜欢看我们老，那我们立刻返老还童变成小孩儿
bù xǐ huan kàn wǒ men lǎo nà wǒ men lì kè fǎn lǎo huán tóng biàn chéng xiǎo hái er
模样。"八位老人一转眼就变成八个小孩儿，把门房
mú yàng bā wèi lǎo rén yì zhuǎn yǎn jiù biàn chéng bā ge xiǎo hái er bǎ mén fáng
吓得直往屋里跑，并大声喊道："神仙来访啦！"
xià de zhí wǎng wū li pǎo bìng dà shēng hǎn dào shén xiān lái fǎng la

第85篇

pāo zhuān yǐn yù
抛 砖 引 玉

【出处】宋·释道原《景德传灯录·赵州东
院从稔禅师》

【用法】辩论会前,老师讲了辩论的方法和技
巧,实际上是抛砖引玉,启发大家尽
情发挥。

【故事】赵嘏是唐朝的诗人。他的诗写得极好,就连大
诗人杜牧也很喜欢,尤其喜欢他所写的"残星数点雁
横塞,长笛一声人倚楼"。所以也有人称他为"赵倚
楼"。和赵嘏同期的诗人常建

也很欣赏他的诗。某天常建
听说赵嘏要到灵岩寺游览,他

想得到赵嘏的诗,就先在灵岩寺墙 上提了两句诗。
后来,赵嘏到灵岩寺,果真在 常建的诗后面加了两
句诗。因为 常建的诗不如赵嘏,所以就有人批评 常
建这么做是"抛 砖 引玉"。从 此,大家就用这个 成语,
比喻拿一般的东西引出好的来,也有自谦的意思。

第86篇

yì rú fǎn zhǎng
易如反掌

【出处】战国·孟轲《孟子·公孙丑上》
（zhàn guó mèng kē mèng zǐ gōng sūn chǒu shàng）

【用法】灌篮对他来说易如反掌，但上台唱歌就把他难倒了。
（guàn lán duì tā lái shuō yì rú fǎn zhǎng dàn shàng tái chàng gē jiù bǎ tā nán dǎo le）

【故事】高丽国（今朝鲜）的大臣墨黎芝杀死国王，要宣告独立。唐太宗听说了，就准备亲自率军去攻打高丽国，为了慎重行事，太宗向亲近的大臣们征询建议。大臣褚遂良写了一封信，提出了他的建议：高丽王是您所立的，如今被墨黎芝杀死，您出兵讨伐是理所当然，但动员四五百名精良将士前往，收复失地有如翻掌般简单，不需劳您亲征！褚遂良信中所写的："有如翻掌"，就被后人引申为成语"易如反掌"。

第 87 篇

kōng xué lái fēng
空穴来风

【出处】战国·宋玉《风赋》

【用法】他的说法绝不是空穴来风，一定有原因的。

【故事】楚国人宋玉是爱国诗人屈原的学生。有一次，宋玉陪伴楚王到兰台去游玩，一阵凉风吹来，楚王快意地说："好风，是我和老百姓共有！"宋玉想起被楚王放逐的老师屈原，就心有怒气地说："我的老师屈原曾说'空的洞穴中，会由于不同的原因产生不同的风。在皇宫兰台上充满贵族之气，风是凉爽舒适的；老百姓居住在低洼陋巷里，吹的风是污浊秽臭的'。"宋玉本意是要讽刺楚王，后人把它引申为"凡事都有因由，绝不会空穴来风的"。

第88篇

kōng qián jué hòu
空 前 绝 后

【出处】宋·朱象贤《闻见偶录·男服从军》

【用法】辣椒可以止住小孩儿的大哭，真是空前绝后的奇闻。

【故事】顾恺之是晋朝的大画家，有人问他为什么画人物时从不画眼睛，他说："这正是我的画作传神之处。"到了南北朝梁国又有一位大画家张僧繇，他画了四条龙也不点睛，在众人再三要求下，他为其中两条龙画上眼睛，那两条龙立刻破壁飞天。唐朝

画圣吴道子画的地狱图，无一鬼怪，却让人看了图以后，打心底里发毛腿软。后来，就有人评三人画作是："顾恺之空前，张僧繇绝后，吴道子则是空前绝后兼备。"所以，吴道子被称为"画圣"是当之无愧的。

第89篇

gū zhù yí zhì
孤注一掷

【出处】宋·辛弃疾《九议》

【用法】他孤注一掷，把所有积蓄都拿去投到新项目上了。

【故事】宋真宗时，契丹人发兵侵略宋朝，并且直入河北省境内。朝内文武百官紧急商量对策，宰相寇准建议由真宗亲自领军，以振军心士气。真宗果真亲自督师，打了一场漂亮的胜仗，之后真宗就重用寇准。大臣王钦若很嫉妒寇准，趁着陪真宗赌博玩乐时说："陛下，我们赌博冒险会把剩下的钱一口气全拿去赌，这叫做孤注；上次寇准请您亲自督师就和赌博孤注一样冒险！"真宗一听非常生气，就贬了寇准的官。从此，人们就用"孤注一掷"来比喻用仅有的力量做好一件事。

第 90 篇

hé dōng shī hǒu
河东狮吼

【出处】宋·洪迈《容斋三笔·陈季常》

【用法】我家没有河东狮吼，充满平安喜乐。

【故事】宋朝有一个很怕老婆的人，名叫陈季常，他的老婆柳氏很凶

悍，只要她一发起脾气来，季常就吓得不敢说话，即使家中有客人，柳氏依然不顾丈夫的面子，照样对他吼叫。有一次，大文豪苏东坡去看季常，在屋外就听到柳氏骂丈夫的吼叫声。于是东坡写了一首诗讥笑季常，大意是："有谁能像季常居士这么有才能？谈起佛法和佛学彻夜通宵都无妨，但闻河东狮子吼，就吓得手杖落地心茫茫。""河东狮吼"就是指老婆大声怒骂丈夫的意思。

第 91 篇

jìn shuǐ lóu tái
近水楼台

【出处】宋·俞文豹《清夜录》
sòng   yú wén bào   qīng yè lù

【用法】小丽住在老师家隔壁，占了近水楼台的
xiǎo lì zhù zài lǎo shī jiā gé bì   zhàn le jìn shuǐ lóu tái de
方便，经常 能得到老师的单独辅导。
fāng biàn   jīng cháng néng dé dào lǎo shī de dān dú fǔ dǎo

【故事】宋 朝的范 仲 淹，是个把国家大事 当 做自己责
sòng cháo de fàn zhòng yān   shì ge bǎ guó jiā dà shì dàng zuò zì jǐ zé
任的人。当他在杭 州做 州 官 的 时 候，许多官 兵都因
rèn de rén   dāng tā zài háng zhōu zuò zhōu guān de shí hou   xǔ duō guān bīng dōu yīn

他所写的推荐信，得到
tā suǒ xiě de tuī jiàn xìn   dé dào
自己理 想的职务。有一
zì jǐ lǐ xiǎng de zhí wù   yǒu yí
个叫苏麟的人，没有得
ge jiào sū lín de rén   méi yǒu dé
到范 仲 淹 写的推荐
dào fàn zhòng yān xiě de tuī jiàn
信，于是他送给范仲
xìn   yú shì tā sòng gěi fàn zhòng

淹一首诗，其 中 两句是："近水楼台先得月，向 阳花
yān yì shǒu shī   qí zhōng liǎng jù shì   jìn shuǐ lóu tái xiān dé yuè   xiàng yáng huā
木易为春 。"意思是：靠水边的楼台先看到月影，日照
mù yì wéi chūn   yì si shì   kào shuǐ biān de lóu tái xiān kàn dào yuè yǐng   rì zhào
充足的花木最茁 壮 繁盛 。范 仲 淹一看立刻为他写
chōng zú de huā mù zuì zhuó zhuàng fán shèng   fàn zhòng yān yí kàn lì kè wèi tā xiě
了推荐信。后来的人就引用"近水楼台"比喻人因为与人
le tuī jiàn xìn   hòu lái de rén jiù yǐn yòng   jìn shuǐ lóu tái   bǐ yù rén yīn wèi yǔ rén
或环境、职务上 的便利，就近得到的利益。
huò huán jìng   zhí wù shàng de biàn lì   jiù jìn dé dào de lì yì

"读·品·悟" 小学生必读
智慧故事书系

第 92 篇

mèng mǔ sān qiān
孟母三迁

【出处】 xī hàn · liú xiàng 《liè nǚ zhuàn · mǔ yí · zōu mèng kē mǔ zhuàn》
【出处】 西汉·刘向《列女传·母仪·邹孟轲母传》

【用法】 xiǎo chén de mā ma xiào fǎng mèng mǔ sān qiān wèi de shì lì
【用法】 小陈的妈妈效仿孟母三迁为的是利

yú xiǎo chén xué xí
于小陈学习。

【故事】 mèng zǐ shì zhàn guó shí qī zōu guó rén　tā xiǎo shí hou jiā zhù zài mù dì
【故事】孟子是战国时期邹国人。他小时候家住在墓地

páng　yīn cǐ　tā hé tóng bàn wán de yóu xì　jiù shì　wǔ zǐ kū mù　zhè lèi
旁，因此，他和同伴玩的游戏，就是"五子哭墓"这类

sāng zàng jì sì　mèng zǐ de mǔ qīn hěn dān xīn　yú shì dài zhe mèng zǐ bān dào
丧葬祭祀。孟子的母亲很担心，于是带着孟子搬到

shì jí qù zhù　zài shì jí shang　mèng zǐ yòu xué huì zuò mǎi mài de yóu xì　zhěng
市集去住。在市集上，孟子又学会做买卖的游戏，整

tiān yóu zuǐ huá shé de jiào
天油嘴滑舌地叫

mài　mèng mǔ yòu shuō
卖。孟母又说：

shì jí bú shì hé xiǎo hái
"市集不适合小孩

zi jū zhù　zhè yí cì
子居住。"这一次

tā men bān dào le xué xiào
他们搬到了学校

fù jìn　mèng zǐ wán quán
附近。孟子完全

gǎi biàn le　suǒ shuō de huà dōu shì zěn me shǒu zhì xù　jiǎng lǐ mào　mèng mǔ
改变了，所说的话都是怎么守秩序、讲礼貌。孟母

zhōng yú mǎn yì de shuō　zhè cái shì zuì shì hé hái zi jū zhù de huán jìng　mèng
终于满意地说："这才是最适合孩子居住的环境。""孟

mǔ sān qiān　de chéng yǔ jiù yóu cǐ yǐn shēn ér lái
母三迁"的成语就由此引申而来。

第 93 篇

dōng chuāng shì fā
东 窗 事 发

【出处】明 · 田汝成《西湖游览志余》

【用法】越是以为神不知鬼不觉的事，越容易东窗事发，亏心事真是做不得。

【故事】宋朝有一个大奸臣名叫秦桧，他偷偷地与金国联系，并且听命于金主。他曾鼓动宋高宗赵构在一天之内，下了十二道金牌，把正在战场上大破金兵的岳飞召回，害死在大理寺狱中。传说，秦桧谋害岳飞的奸计，都是和妻子王氏在家中东面窗下共同计划的。因此，当秦桧过世后，有一个叫伏章的通灵方士到阴曹地府去找秦桧，看见他正铐着枷锁做苦工。秦桧还对伏章说："请告诉我的妻子，我们在东窗下的计划已经被揭发了。"

第 94 篇

qīng chū yú lán
青出于蓝

【出处】战国·荀况《荀子·劝学》
zhàn guó　xún kuàng　xún zǐ　quàn xué

【用法】他作曲的功力已超过他的老师，真是
tā zuò qǔ de gōng lì yǐ chāo guò tā de lǎo shī　zhēn shì

青出于蓝而胜于蓝。
qīng chū yú lán ér shèng yú lán

【故事】荀况是战国时期一位很有学问的人，他写了一部
xún kuàng shì zhàn guó shí qī yí wèi hěn yǒu xué wèn de rén　tā xiě le yí bù

有名的著作——《荀子》。其中的《劝学》篇里说："青
yǒu míng de zhù zuò　xún zǐ　qí zhōng de　quàn xué piān li shuō　qīng

色是由蓝色调
sè shì yóu lán sè tiáo

成的，却比蓝
chéng de　què bǐ lán

色更令人赏心
sè gèng lìng rén shǎng xīn

悦目；冰是由水
yuè mù　bīng shì yóu shuǐ

凝结成的，却
níng jié chéng de　què

比水要冷。"荀
bǐ shuǐ yào lěng　xún

子的意思是，学生们认真学习研究，经过若干年后，
zǐ de yì si shì　xué sheng men rèn zhēn xué xí yán jiū　jīng guò ruò gān nián hòu

所得的成就可能超过老师。有个叫李谧的人，幼时拜
suǒ dé de chéng jiù kě néng chāo guò lǎo shī　yǒu ge jiào lǐ mì de rén　yòu shí bài

孔璠为师，许多年后李谧学有所成，孔璠反而要请
kǒng fán wéi shī　xǔ duō nián hòu lǐ mì xué yǒu suǒ chéng　kǒng fán fǎn ér yào qǐng

李谧收他做学生，大家都称赞李谧是青出于蓝。
lǐ mì shōu tā zuò xué sheng　dà jiā dōu chēng zàn lǐ mì shì qīng chū yú lán

第 95 篇

guā mù xiāng kàn
刮目相看

【出处】晋·陈寿《三国志·吴书·吕蒙传》
jìn chén shòu sān guó zhì wú shū lǚ méng zhuàn

【用法】过了一个暑假，小美的改变令人刮目
guò le yí ge shǔ jià xiǎo měi de gǎi biàn lìng rén guā mù
相看。
xiāng kàn

【故事】三国时吴国将军吕蒙，是个只会打仗，不会
sān guó shí wú guó jiāng jūn lǚ méng shì ge zhǐ huì dǎ zhàng bú huì
念书的人。有一天，吴国君主孙权对吕蒙说："你已经
niàn shū de rén yǒu yì tiān wú guó jūn zhǔ sūn quán duì lǚ méng shuō nǐ yǐ jing
是大将军了，应该多读点书增加知识才对。"于是，吕
shì dà jiāng jūn le yīng gāi duō dú diǎn shū zēng jiā zhī shi cái duì yú shì lǚ
蒙开始勤奋苦读，对事情的见解也不同于以往了。鲁
méng kāi shǐ qín fèn kǔ dú duì shì qing de jiàn jiě yě bù tóng yú yǐ wǎng le lǔ
肃将军和他商讨军事时，对他说："我本以为你吕蒙
sù jiāng jūn hé tā shāng tǎo jūn shì shí duì tā shuō wǒ běn yǐ wéi nǐ lǚ méng
只会打仗，没想到你的学问如此广博，你不是从前
zhǐ huì dǎ zhàng méi xiǎng dào nǐ de xué wèn rú cǐ guǎng bó nǐ bú shì cóng qián
吴国的吕蒙了。"
wú guó de lǚ méng le

吕蒙说："士别
lǚ méng shuō shì bié
三日，当刮目相
sān rì dāng guā mù xiāng
看。"意思是，与一
kàn yì si shì yǔ yí
个人分开几天，就
ge rén fēn kai jǐ tiān jiù
要对他另眼看待！
yào duì tā lìng yǎn kàn dài

第96篇

mén kě luó què
门可罗雀

【出处】西汉·司马迁《史记·汲郑列传》

【用法】这家餐厅门可罗雀，还能经营多久呢？

【故事】汉武帝时，曾任用了两位贤能的大臣，一个是汲黯，一个是郑当，他们俩的官阶都很高。当他们有权有势时，每天前去拜访的人从未间断过。但是，当他们卸下官位不再拥有权力时，那些过去巴结他们的人，因为已经无利可图了，就不再来拜访他们了。

司马迁感叹地说道："卸官前后，汲黯家门前，从车水马龙的盛况，转变为门前可以张网捕雀的冷清。"意思是：门庭前无访客到来，宾客稀少。后人就将"门外可设雀罗"引申为成语"门可罗雀"。

第97篇

mén tíng ruò shì
门庭若市

【出处】西汉·刘向《战国策·齐策》

【用法】这家餐厅门庭若市，一定有好吃的招牌菜。

【故事】齐国大夫邹忌长得很英俊。他的妻妾和朋友都夸赞他比齐国美男子徐公还英俊。可是，当邹忌见到徐公时，才知道徐公比他英俊多了。邹忌仔细一想，发现了事情的缘由：妻妾因为怕他，所以夸他；朋友也是有求于他，才会称赞他。于是邹忌把这件事情与

国政相联系，劝告齐威王，务必要多听取群臣的建议。齐威王听了便下令说："往后无论是谁，能够检举、批评我的过错，可以得到重赏。"从此，齐威王宫门前人潮多如市集，都是来提供规谏的人。"门庭若市"的成语就由此而出。

第 98 篇

yíng rèn ér jiě
迎刃而解

【出处】唐·房玄龄《晋书·杜预传》

【用法】小莲是班上的万能博士，任何难题
到她手上都能迎刃而解。

【故事】杜预是晋武帝重用的大臣，他不但学问渊
博，见识广远，而且对国家贡献也很大。他担任镇
远大将军时，计划要攻打吴国，但是，有人说吴国很
强，不容易打败。也有人说，吴国正在遭受瘟疫，不
宜前往。杜预坚定地说："我国兵士士气正旺盛，
要击溃吴国犹如破竹一般，劈破几段枝节后，下面就
能迎刃而解了。"于是，杜预凭着坚定的信心，势如破
竹地击溃吴国。此
后人们就引用
"迎刃而解"这个
成语，来形容事
情处理得很顺利。

第 99 篇

沾沾自喜
zhān zhān zì xǐ

【出处】西汉·司马迁《史记·魏其武安侯列传》

【用法】小言沾沾自喜于自己以前取得的好成绩，不求上进，所以这次考试很不理想。

【故事】魏其侯窦婴，是汉孝文皇后的侄儿，在汉景帝时做了官。有一天，窦婴陪着景帝，和景

帝的弟弟梁王一同喝酒，景帝酒后糊里糊涂地说："我死后要把皇位让给我弟弟梁王继承。"窦婴认为汉朝制度皇位应该传给儿子，于是反对。结果窦婴因此被罢免官职。后来窦婴复职，当了太子的老师，因景帝废除太子，窦婴辞官。景帝说："窦婴这个人，沾沾自喜而已，根本是个轻佻大意的人。"于是再也不任用他。

第100篇

xīn xīn xiàng róng
欣欣向荣

【出处】晋·陶潜《归去来辞》
jìn táo qián guī qù lái cí

【用法】春天，校园里百花齐放，一片欣欣向
chūn tiān xiào yuán lǐ bǎi huā qí fàng yí piàn xīn xīn xiàng
荣的景象。
róng de jǐng xiàng

【故事】陶渊明是晋朝的大文学家，诗文写得极好。他
táo yuán míng shì jìn cháo de dà wén xué jiā shī wén xiě de jí hǎo tā
热爱大自然，喜欢到山林乡野过自在的生活，但是
rè ài dà zì rán xǐ huān dào shān lín xiāng yě guò zì zài de shēng huó dàn shì
因家境贫穷，为了
yīn jiā jìng pín qióng wèi le
生计，他只好勉
shēng jì tā zhǐ hǎo miǎn
强自己去做一个
qiǎng zì jǐ qù zuò yí ge
祭酒的小官员。
jì jiǔ de xiǎo guān yuán
性情高尚文雅的
xìng qíng gāo shàng wén yǎ de

陶渊明，完全无法适应官场虚假不实的现状，所
táo yuán míng wán quán wú fǎ shì yìng guān chǎng xū jiǎ bù shí de xiàn zhuàng suǒ
以很快就辞官，重返田园。他写了一首诗叫《归去来
yǐ hěn kuài jiù cí guān chóng fǎn tián yuán tā xiě le yì shǒu shī jiào guī qù lái
辞》，其中有一句是"木欣欣以向荣"被引申为成语
cí qí zhōng yǒu yí jù shì mù xīn xīn yǐ xiàng róng bèi yǐn shēn wéi chéng yǔ
"欣欣向荣"用来形容事物繁盛的样子。
xīn xīn xiàng róng yòng lái xíng róng shì wù fán shèng de yàng zi

第101篇

liǎng bài jù shāng
两 败 俱 伤

xī hàn   liú xiàng   zhàn guó cè   qín cè èr
【出处】西汉·刘 向《战 国 策·秦 策 二》

zài ràng tā men zhēng dòu xià qu   bì dìng huì liǎng bài jù
【用法】再让他们 争 斗下去,必定会两败俱

shāng de
伤 的。

zhàn guó shí qī   qí xuān wáng yào chū bīng gōng dǎ wèi guó   chún yú kūn
【故事】战 国时期,齐宣 王 要出兵 攻 打魏国。淳于髡

zhī dào hòu jiù qù jiàn xuān wáng   shuō   yì zhī liè quǎn zhuī zhe yì zhī yě tù
知道后就去见宣 王 ,说:"一只猎犬 追着一只野兔,

liǎng zhě lèi de dōu kuài pǎo bú dòng le   yí wèi guò lù de nóng fū   háo bú fèi lì
两者累得都快跑不动了。一位过路的农夫,毫不费力

de zhuā dào le liè quǎn hé yě tù   xiàn zài qí guó yào gōng dǎ wèi guó   bì dìng huì
地抓到了猎犬和野兔,现在齐国要 攻 打魏国,必定会

shǐ liǎng biān de shì bīng dōu dǎ de jiāo tóu làn é   pí bèi bù kān   dào zuì hòu luò
使两边的士兵都打得焦头烂额,疲备不堪,到最后落

de liǎng guó mín bù liáo shēng   cái qióng wù jìn   liǎng bài jù shāng   jiǎ shǐ qín guó
得两国民不聊生,财穷物尽,两败俱伤。假使秦国

hé chǔ guó yì qǐ chéng xū ér rù   hěn kuài biàn néng zhàn lǐng qí   wèi liǎng guó
和楚国一起乘 虚而入,很快便能占领齐、魏两国,

jiù xiàng nà bú fèi chuī huī zhī lì   zhuā dào le liè quǎn hé yě tù de nóng fū yí
就像那不费吹灰之力,抓到了猎犬和野兔的农夫一

yàng   qí xuān wáng yì tīng   lì
样。"齐宣 王 一听,立

kè xià lìng shōu bīng   tā yě bú
刻下令 收兵,他也不

yuàn jiàn dào liǎng bài jù shāng de
愿见到两败俱伤的

jú miàn
局面。

第102篇

pī xīng dài yuè
披星戴月

táng   lǚ yán   qī yán
【出处】唐·吕岩《七言》

bà ba pī xīng dài yuè de gōng zuò   zhēn shì wàn fēn xīn kǔ
【用法】爸爸披星戴月地工作，真是万分辛苦。

chūn qiū shí qī   lǔ
【故事】春秋时期，鲁

guó yí ge jiào dān fù de dì
国一个叫单父的地

fāng yǒu yí wèi xiàn guān   míng
方有一位县官，名

jiào mì bù qí   tā měi tiān zuò
叫宓不齐。他每天坐

zài gōng táng shang   tán zhe qín
在公堂上，弹着琴

fēn fù shǔ xià bàn shì   cóng bù chū yá men   què réng néng bǎ dān fù zhì lǐ de hěn
吩咐属下办事，从不出衙门，却仍能把单父治理得很

hǎo   mì bù qí lí zhí hòu   wū mǎ zǐ qī jiē rèn dān fù xiàn guān   tā qín fèn bú
好。宓不齐离职后，巫马子期接任单父县官，他勤奋不

xiè   měi tiān tiān méi liàng jiù chū mén   wǎn shang yuè liang gāo guà le cái huí jiā   suǒ
懈，每天天没亮就出门，晚上月亮高挂了才回家，所

yǐ yě bǎ dān fù zhì lǐ de hěn hǎo   dàn wū mǎ zǐ qī hěn xiǎng xiàng mì bù qí yí
以也把单父治理得很好。但巫马子期很想 像宓不齐一

yàng   tán zhe qín jiù néng zhì lǐ xiàn zhèng   mì bù qí gào su tā shuō   wǒ shì
样，弹着琴就能治理县 政，宓不齐告诉他说："我是

zhǎo néng gàn de rén zuò shì   nǐ què shì shì dōu qīn lì qīn wéi   suǒ yǐ hěn xīn
找能干的人做事，你却事事都亲力亲为，所以很辛

kǔ   yú shì hòu rén yòng   pī xīng dài yuè   lái xíng róng zǐ qī zǎo chū wǎn guī   xīn
苦。"于是后人用"披星戴月"来形容子期早出晚归，辛

qín gōng zuò de qíng xíng
勤工作的情形。

第103篇

奇货可居

qí huò kě jū

【出处】西汉·司马迁《史记·吕不韦传》

【用法】由于米酒价格上涨，商人们更是奇货可居。

【故事】吕不韦是战国时期秦国著名的商人。有一次，吕不韦到赵国，听说秦王的儿子异人被押在赵国当人质，生活过得十分贫困。他不禁自言自语地说："真是奇货可居呀！"因为他想到：若能帮助异人当上国君，必能获得千万倍的利益。于是，吕不韦先认识异

人，并请秦国太子妃华阳夫人认异人为干儿子，然后把异人从赵国救出来。后来秦王去世后，异人就继承王位，成为庄襄王，吕不韦则为丞相，享尽荣华富贵。

后人就以"奇货可居"来表示将货物囤积等待好价钱的意思。

第104篇

yī yàng huà hú lu
依样画葫芦

【出处】宋·魏泰《东轩笔录》
sòng wèi tài dōng xuān bǐ lù

【用法】他自己不会创意,只能依样画葫芦
tā zì jǐ bú huì chuàng yì zhǐ néng yī yàng huà hú lu

学别人的画。
xué bié rén de huà

【故事】陶榖是南北朝时北周人,才识学问极佳,文章
táo gǔ shì nán běi cháo shí běi zhōu rén cái shí xué wen jí jiā wén zhāng

写得非常好。改朝换代到了宋朝,宋太祖赵匡胤
xiě de fēi cháng hǎo gǎi cháo huàn dài dào le sòng cháo sòng tài zǔ zhào kuāng yìn

并不重视写文章的臣子,包括陶榖这位翰林学士。
bìng bù zhòng shì xiě wén zhāng de chén zǐ bāo kuò táo gǔ zhè wèi hàn lín xué shì

于是他向太祖辞官,没想到太祖说:"翰林学士不好
yú shì tā xiàng tài zǔ cí guān méi xiǎng dào tài zǔ shuō hàn lín xué shì bù hǎo

做,只能依葫芦的样子画葫芦,随便做做吧!"陶榖勉
zuò zhǐ néng yī hú lu de yàng zi huà hú lu suí biàn zuò zuo ba táo gǔ miǎn

强留任职务,但他把满心的委屈写在翰林院的墙
qiǎng liú rèn zhí wù dàn tā bǎ mǎn xīn de wěi qū xiě zài hàn lín yuàn de qiáng

上,其中两句是:"堪笑翰林陶学士,年年依样
shang qí zhōng liǎng jù shì kān xiào hàn lín táo xué shì nián nián yī yàng

画葫芦。"后人就
huà hú lu hòu rén jiù

用"依样画葫芦"
yòng yī yàng huà hú lu

来比喻没有创新
lái bǐ yù méi yǒu chuàng xīn

的才能,只能模仿
de cái néng zhǐ néng mó fǎng

学习别人的人。
xué xí bié ren de rén

第105篇

zhī nán ér tuì
知难而退

【出处】春秋·左丘明《左传·宣公十二年》
chūn qiū zuǒ qiū míng 《 zuǒ zhuàn · xuān gōng shí èr nián 》

【用法】我们不要强迫他离开，让他自己知难
wǒ men bú yào qiǎng pò tā lí kāi ， ràng tā zì jǐ zhī nán
而退吧！
ér tuì ba ！

【故事】春秋时，晋、
chūn qiū shí ， jìn 、
楚两国为了争夺霸
chǔ liǎng guó wèi le zhēng duó bà
权，经常发生战
quán ， jīng cháng fā shēng zhàn
事。晋国就曾以帮
shì 。 jìn guó jiù céng yǐ bāng
助郑国为理由，派出
zhù zhèng guó wéi lǐ yóu ， pài chū

正副元帅荀林父、先縠向楚国宣战。但是，当晋
zhèng fù yuán shuài xún lín fù 、 xiān hú xiàng chǔ guó xuān zhàn 。 dàn shì ， dāng jìn
国大军到黄河岩时，郑国已和楚国和解了，荀林父
guó dà jūn dào huáng hé yán shí ， zhèng guó yǐ hé chǔ guó hé jiě le ， xún lín fù
说："见可而进，知难而退！"意思是说楚国现在很强
shuō ： " jiàn kě ér jìn ， zhī nán ér tuì ！ " yì si shì shuō chǔ guó xiàn zài hěn qiáng
盛，我们很难进攻的，还是退回去吧！先縠却说："见
shèng ， wǒ men hěn nán jìn gōng de ， hái shi tuì huí qu ba ！ xiān hú què shuō ： " jiàn
对手强大就退兵，不是大丈夫的作为。"于是他率先
duì shǒu qiáng dà jiù tuì bīng ， bú shì dà zhàng fū de zuò wéi 。 " yú shì tā shuài xiān
领兵渡河，荀林父只好跟进，结果晋国大败。从此，"知
lǐng bīng dù hé ， xún lín fù zhǐ hǎo gēn jìn ， jié guǒ jìn guó dà bài 。 cóng cǐ ， " zhī
难而退"就被引用为提醒人谨慎行事的成语。
nán ér tuì " jiù bèi yǐn yòng wéi tí xǐng rén jǐn shèn xíng shì de chéng yǔ 。

第106篇

shì bàn gōng bèi
事半功倍

【出处】战国·孟轲《孟子·公孙丑 上》

【用法】只要掌握做事情的方法,再困难的事也能事半功倍。

【故事】有一次,孟子和他的学生 公孙丑谈论统一天下的问题。他们谈起当年周文王,在十分艰苦的环境下,因施行 "仁政",

创立了国富民强的周朝 盛世,而今在战国的乱世里,像齐国这样的大国,如果能够推行 "仁政",想要统一天下,比周文王时代要容易,因为人民再也受不了暴政的折磨。孟子说:"事半古之人,功必倍之!"意思是说,齐王给百姓的恩惠只要有周文王的一半,收到的效果必定是加倍的。人们将孟子的话引申为成语 "事半功倍"。

第107篇

míng mù zhāng dǎn
明 目 张 胆

【出处】元·脱脱等《宋史·刘安世传》

【用法】他明目张胆的抢人皮包，却没有人敢见义勇为阻拦他。

【故事】刘安世是宋朝人，他因为做人很有诚信，对事物的剖析见解很精准，所以，受到皇帝的赏识，被任命为谏议大夫。那是一份专门提醒、纠正皇帝言行的工作。刘安世接任后，回到家中对母亲说："我没有什么大才能，如今却被皇上任命为谏议大夫，我只能明目张胆以身任职！"刘安世的意思是说，从此以后，只能大胆地纠正皇帝地错误，因为这就是他的责任。后来由于时间的演变，人们用"明目张胆"来形容坏人无所顾忌，胆大妄为。

第108篇

wò xīn cháng dǎn
卧 薪 尝 胆

【出处】西汉·司马迁《史记·越王勾践世家》

【用法】经过一番卧薪尝胆的努力拼搏，他终于考进自己满意的学校了。

【故事】越王勾践被吴王夫差打败，夫差将勾践夫妇关在老国王阖闾墓旁的石屋里，负责守墓和养马。勾践立志要复国报仇，因此对夫差毕恭毕敬，甚至在他生病时还亲口尝他的粪，以便取得信任与同情。没多久，夫差果然让勾践回越国。勾践回国后，立刻发展生产、积聚力量；又为了汲取教训，每天睡在柴草上，临睡前还要尝一口悬挂在床前的苦胆。就这样历经了十年的精心准备，勾践终于打败了夫差，完成了复国的心愿。后人就用"卧薪尝胆"来比喻人励精图治的决心。

第109篇

kè zhōu qiú jiàn
刻 舟 求 剑

【出处】战国·吕不韦等《吕氏春秋·察今》

【用法】他坚持在上游找落水的东西，实际上早被水流冲走了，这不是刻舟求剑吗？

【故事】有一个楚国人，搭乘一艘小船要渡江，在半途中一不小心，把剑掉落在江水里，当时这个楚国人为了赶路，没有立刻停船下水去把剑捞起来，只是用刀在船边刻上剑落下去的记号，他想等办完事

情后，依着这个记号找回落入水里的剑。这个自以为聪明的楚国人，并不知道剑落入水里的位置，和在船上的任何记号都没有关联，只有在剑落入水里的那一刹那，跳入水中才有可能捡回失剑啊！后人就引用"刻舟求剑"来比喻做事古板固执，不知变通。

xìng zāi lè huò
幸灾乐祸

【出处】春秋·左丘明《左传·僖公十四年》
chūn qiū   zuǒ qiū míng   zuǒ zhuàn   xī gōng shí sì nián

【用法】看到别人家遭盗窃，弟弟却幸灾乐祸
kàn dào bié ren jiā zāo dào qiè   dì di què xìng zāi lè huò

地说笑，真令人生气。
de shuō xiào   zhēn lìng rén shēng qì

【故事】春秋时期，晋国发生内乱，晋公子夷吾逃到秦
chūn qiū shí qī   jìn guó fā shēng nèi luàn   jìn gōng zǐ yí wú táo dào qín

国，秦王把女儿嫁给他，并且送他回到晋国取得王
guó   qín wáng bǎ nǚ ér jià gěi tā   bìng qiě sòng tā huí dào jìn guó qǔ dé wáng

位，成为晋惠公。夷吾曾经承诺送给秦王五座城
wèi   chéng wéi jìn huì gōng   yí wú céng jīng chéng nuò sòng gěi qín wáng wǔ zuò chéng

池，但是，当他坐上王位就反悔了，秦王顾念女儿，
chí   dàn shì   dāng tā zuò shang wáng wèi jiù fǎn huǐ le   qín wáng gù niàn nǚ ér

没出兵抢夺。后来，晋国发生灾荒，秦王大力周济
méi chū bīng qiǎng duó   hòu lái   jìn guó fā shēng zāi huāng   qín wáng dà lì zhōu jì

晋国。隔年，秦国也闹灾荒，晋惠公不仅不协助，反而
jìn guó   gé nián   qín guó yě nào zāi huāng   jìn huì gōng bù jǐn bù xié zhù   fǎn ér

想攻打秦国。晋国大夫庆郑说："背施无亲，幸灾不
xiǎng gōng dǎ qín guó   jìn guó dà fū qìng zhèng shuō   bèi shī wú qīn   xìng zāi bù

仁。"就是说忘记别人恩惠是无情，别人有灾难，却心
rén   jiù shì shuō wàng jì bié ren ēn huì shì wú qíng   bié ren yǒu zāi nàn   què xīn

中有快意是不仁。后
zhōng yǒu kuài yì shì bù rén   hòu

人就将庆郑讲的
rén jiù jiāng qìng zhèng jiǎng de

话，引申为成语"幸
huà   yǐn shēn wéi chéng yǔ   xìng

灾乐祸"。
zāi lè huò

第111篇

zhāo yáo guò shì
招 摇 过 市

【出处】西汉·司马迁《史记·孔子世家》
xī hàn sī mǎ qiān shǐ jì kǒng zǐ shì jiā

【用法】她穿着华丽的礼服，乘着闪亮的流
tā chuān zhe huá lì de lǐ fú chéng zhe shǎn liàng de liú

线型汽车招摇过市。
xiàn xíng qì chē zhāo yáo guò shì

【故事】卫灵公是春秋
wèi líng gōng shì chūn qiū

时期卫国的君王，十
shí qī wèi guó de jūn wáng shí

分昏庸，他的妻子南子
fēn hūn yōng tā de qī zi nán zǐ

名声也很坏，她不但
míng shēng yě hěn huài tā bú dàn

把持卫国的政事，而
bǎ chí wèi guó de zhèng shì ér

且生活很奢靡，行为也很不正当。当孔子周游列
qiě shēng huó hěn shē mí xíng wéi yě hěn bú zhèng dàng dāng kǒng zǐ zhōu yóu liè

国到卫国时，南子要求与孔子会见。当南子向孔子
guó dào wèi guó shí nán zǐ yāo qiú yǔ kǒng zǐ huì jiàn dāng nán zǐ xiàng kǒng zǐ

答礼时，衣饰上的玉佩丁当作响，孔子的学生子路
dá lǐ shí yī shì shang de yù pèi dīng dāng zuò xiǎng kǒng zǐ de xué sheng zǐ lù

认为，孔子会见南子这样轻浮的人，有失尊严。有一
rèn wéi kǒng zǐ huì jiàn nán zǐ zhè yàng qīng fú de rén yǒu shī zūn yán yǒu yì

天，卫灵公和南子邀请孔子和他们出游，却让他坐在
tiān wèi líng gōng hé nán zǐ yāo qǐng kǒng zǐ hé tā men chū yóu què ràng tā zuò zài

一位太监旁边，驾着马车在大街上游逛，四处招摇
yí wèi tài jiàn páng biān jià zhe mǎ chē zài dà jiē shang yóu guàng sì chù zhāo yáo

过市，孔子十分生气，很快就离开了卫国。
guò shì kǒng zǐ shí fēn shēng qì hěn kuài jiù lí kāi le wèi guó

第112篇

bēi dào ér chí
背道而驰

【出处】西汉·刘向《战国策·魏策》

【用法】她口里所说的，和实际所做的事背道而驰，把大家都弄糊涂了。

【故事】战国时期，魏王派季梁出使外国。在出使的路途中，季梁听说魏王要出兵攻打赵国，立刻折返回魏国。魏王大吃一惊地问："你这么快就回来，发生什么事了？"季梁说：

"有一个人要去南方的楚国，他装备精良的马匹，却是往北走。"魏王说："他背

道而驰，怎么能到得了楚国呢？"季梁说："大王您平日常说要招抚天下百姓，做天下人的君王，可是您总是出兵攻打邻国，不也正是和您想完成的事业，完全相反，背道而驰了吗？"

第113篇

hòu lái jū shàng
后来居上

【出处】西汉·司马迁《史记·汲郑列传》

【用法】在本次马拉松比赛上，她是后来居上，最终赢得冠军宝座。

【故事】汲黯是西汉时期人，原本被汉武帝任命为中大夫，后来，因为他常向武帝提出规劝，让武帝听得很不耐烦，所以就把他调到东海去当太守。汲黯在东海的表现十分出色，使得武帝又把他调回京城来，做九卿外的官员。但是，汲黯直言规劝的毛病还是没改，令武帝又很讨厌他，因此一直让他做九卿外的官职，许多比他后进的人都调升得比他快。有一天，汲黯生气地对武帝说："您用人就像在堆柴草，把后来的放在上面！"从此，人们就将汲黯的话引申为成语"后来居上"。

第114篇

shí rén yá huì
拾人牙慧

【出处】南朝·刘义庆《世说新语·文学》

【用法】他的作品不过是拾人牙慧，一点都不新奇。

【故事】晋朝的殷浩，是个有学问、口才极佳的人。曾被封为建武将军，统帅五州的兵马，后来，因为作战失败被流放到浙江信安。殷浩有个外甥叫韩康伯，聪明伶俐，很讨人喜欢，在他被流放的时候，也带着韩康伯。有一天，殷浩看见康伯意气风发地对人发表议论。事后殷浩对人说："康伯连我的牙慧都没有得到呢！"牙慧，是指牙齿上的污秽。殷浩的意思是：康伯想学我对人谈论事理，还差得远哩！我所知道的事如此广博深远，康伯知道的很有限哪！

第115篇

chūn fēng dé yì
春 风 得 意

【出处】唐·孟郊《登科后》

【用法】看他春风得意的模样，一定是这次考
试取得了好成绩。

【故事】孟郊是唐朝著名的诗人，他的性格正直刚
强，所以，很少有人能够与他相处，只有大文学家韩
愈和他一见如故。孟郊的境遇很不如意，一直到五十岁
才考中进士，这时候他那几乎被贫困生活消磨殆尽
的意志，又开朗豁达起

来。于是，他写了一首

诗："昔日龌龊不足

夸，今朝旷荡恩无

涯；春风得意马蹄急，一日看尽长安花。"意思是：从
前贫困的生活是不值得夸耀的，今日的豁达使我感受
到皇恩浩荡，我得意地骑马徜徉在春风里，一天
之内就看遍了长安城的繁花。

第116篇

shí zhǐ dà dòng
食 指 大 动

【出处】春秋·左丘明《左传·宣公四年》

【用法】美食当前，不禁令人食指大动。

【故事】公子宋和子家，两人都在郑灵公朝中做大夫。有一天，他们一起去朝见郑灵公，公子宋的食指忽然跃动起来。公子宋说："每次我的食指跃动，当天必能尝到美食，不知道今天能尝到何种美食！"两人说笑着进入朝门，只见郑灵公正命令人将楚国送来的大龟烹煮，好请大夫们尝鲜。公子宋和子家不禁相视而笑，并且将公子宋食指大动的事情告诉灵公。灵公说："你的食指真的灵验吗？"公子宋说："我已经吃到大龟啦！"从此人们就用

"食指大动"来形容有美味可吃的预兆。

第117篇

jí rú xīng huǒ
急如星火

【出处】晋·李密《陈情表》

【用法】小莲在教室摔伤,老师急如星火地冲进教室处理。

【故事】李密从小孤苦零丁,父亲很早就过世了,母亲又被迫改嫁,由祖母刘氏将他抚养长大,因此,李密对祖母很

孝顺。晋武帝时,李密被征召进宫为太子洗马。当时祖母已经九十六岁,生活起居都需要李密照料,所以,李密根本无法离开家。但是,晋武帝却下诏书,责备李密态度傲慢并催他快进宫,于是李密写了一篇《陈情表》,向武帝解释困境,其中有几句:"郡县相逼,催臣上道,州司临门,急如星火。"后人就引用"急如星火"来形容事情的急迫性。

南柯一梦
nán kē yí mèng

【出处】唐·李公佐《南柯太守传》

【用法】别想太多，那不过是南柯一梦，想
要美梦成真还是努力学习吧！

【故事】淳于棼是唐朝时期的人。有一天，他喝醉酒回
到家中睡觉，在梦中他到了槐安国，受到槐安国
王的器重，国王要把公主嫁给他。淳于棼当上驸
马爷，整天吃喝玩乐。公主担心

他一事无成，于是请求国王派
他去南柯郡当太守。在南柯，淳
于棼安分守己地做了二十年的太守。但是，当公主过
世以后，伤心的淳于棼带着孩子回到京城，又过着
荒惰奢靡的生活。槐安国王一气之下就派人把淳
于棼遣送回家乡。走出槐安国，淳于棼惊醒了，这才
知道自己做了一场梦。原来所谓的槐安国就是他家
大槐树下的蚁穴。后来用"南柯一梦"指做梦或比喻
一场空欢喜。

第119篇

zhǐ lù wéi mǎ
指鹿为马

【出处】西汉·司马迁《史记·秦始皇本纪》

【用法】他说的那些话全是骗人的圈套，根本就是指鹿为马，大家千万不要相信。

【故事】赵高是秦朝的宰相，他凶残无道，所有的人都很怕他。有一天，他牵了一头梅花鹿进宫，问秦二世说："皇上这匹小马是不是很健壮呢？"二世笑着说："你错了，这分明是头鹿哇。"赵高立刻提高了嗓音问所有的大臣："这就是一匹马，对吗？"大臣们都很畏惧赵高，看见他瞪大眼睛的模样，更是害怕，就纷纷回答说："是，这真是一匹骏马！"秦二世完全被搞糊涂了，过不了几天，赵高就把他杀了。后人就用"指鹿为马"来形容那些公然歪曲事实、颠倒是非的人。

第120篇

tuì bì sān shè
退避三舍

【出处】春秋·左丘明《左传·僖公二三年》

【用法】他这个人蛮横无理，大家看见他都退避三舍。

【故事】春秋时，晋惠公夷吾费尽心力坐上君主位置，担心哥哥重耳会回国夺取王位，因此，密派武士去刺杀他。于是重耳被迫逃亡，最后逃到了楚国。楚庄王以贵宾的礼仪待重耳，两人相处得很好。有一天，楚庄王问重耳说："将来您回到晋国做了君王后，要如何回报我呢？"重耳说："楚国是个丰裕富足的大国，我真是无以回报，但若真回到晋国，与您在战场上短兵相接，我就退三舍（古代一舍为三十里）。"从此，人们就以"退避三舍"来形容对别人忍让或回避、避免冲突的意思。

第121篇

xìn kǒu cí huáng
信口雌黄

【出处】宋·沈括《梦溪笔谈》

【用法】他总是信口雌黄，别太相信他所说的话。

【故事】晋朝人王衍，从小就喜爱老庄思想，做了官后依然崇拜老子和庄子，整天和人谈"无为而治"的道理。因为他德才兼备，谈论的道理多能折服人心，所以很多读书人都很仰慕他，甚至模仿他。在讲学时，王衍手上总是拿着玉柄拂尘，一派宁静脱俗的

样子。每当把义理说错的时候，他会随口更正，于是大家就说他是："口中雌黄。"雌黄是一种矿物，古时人们写错字时就是用雌黄涂抹更正的。后人引申这句话为"信口雌黄"，比喻不顾事实，随口乱说。

第122篇

qián jù hòu gōng
前倨后恭

【出处】西汉·刘向《战国策·秦策一》

【用法】初次跟外人见面一定要小心谨慎，不要闹出前倨后恭的事来。

【故事】苏秦是战国时期著名的政治家，在他成名之前，原是一无所有的穷小子，他的兄嫂亲友都看不起他，嫂子甚至骂他不务正业吃闲饭。苏秦从此闭门苦读，一年之后他研究出"合纵连横"理论，受到燕、赵等六国支持，六国都聘他做宰相。功成名就的苏秦回到家乡后，受到亲友欢迎，他的嫂子对他鞠躬哈腰。苏秦对嫂子说："你为何前倨而后恭呢？同样是我苏秦，当我贫贱时欺负我，富贵时就奉承我呀！"后人便引用"前倨后恭"形容待人原先傲慢，后来恭顺。

第123篇

qián chē zhī jiàn
前车之鉴

【出处】东汉·班固《汉书·贾谊传》

【用法】这次的失败就当是前车之鉴，不要灰心，继续勇往前行吧！

【故事】贾谊是西汉时期人，有一次，他上呈治理国家的策略文书给文帝，书中提到：秦朝宦

官赵高教导秦二世如何处决囚犯，二世所学的不是斩杀犯人，就是灭绝犯人全族，使得秦二世留下暴虐无道的恶名；秦二世本性凶残吗？并不是，而是赵高不合理的错误教导造成的！所以说，"前车覆、后车鉴"。贾谊的用意是，提醒文帝要记取秦朝灭亡的教训，因而说道：前面的车翻倒了，后面的车子就该引以为戒。

后人便引申为成语"前车之鉴"提醒人们先前的失败，可作为其后的教训。

第124篇

wèi shǒu wèi wěi
畏首畏尾

【出处】<ruby>春<rt>chūn</rt></ruby><ruby>秋<rt>qiū</rt></ruby>·<ruby>左<rt>zuǒ</rt></ruby><ruby>丘<rt>qiū</rt></ruby><ruby>明<rt>míng</rt></ruby>《<ruby>左<rt>zuǒ</rt></ruby><ruby>传<rt>zhuàn</rt></ruby>·<ruby>文<rt>wén</rt></ruby><ruby>公<rt>gōng</rt></ruby><ruby>十<rt>shí</rt></ruby><ruby>七<rt>qī</rt></ruby><ruby>年<rt>nián</rt></ruby>》

【用法】<ruby>做<rt>zuò</rt></ruby><ruby>事<rt>shì</rt></ruby><ruby>情<rt>qíng</rt></ruby><ruby>畏<rt>wèi</rt></ruby><ruby>首<rt>shǒu</rt></ruby><ruby>畏<rt>wèi</rt></ruby><ruby>尾<rt>wěi</rt></ruby><ruby>的<rt>de</rt></ruby><ruby>人<rt>rén</rt></ruby>，<ruby>很<rt>hěn</rt></ruby><ruby>难<rt>nán</rt></ruby><ruby>取<rt>qǔ</rt></ruby><ruby>得<rt>dé</rt></ruby><ruby>成<rt>chéng</rt></ruby><ruby>功<rt>gōng</rt></ruby>！

【故事】春秋时期，晋、楚两个诸侯国争霸权。晋灵公有一次召集诸侯时，没有见到郑穆公参加，就怀疑郑国不忠心而非常不满意。郑公子为此写了一封信给晋王。说："郑

国虽小，但对晋国已尽最大的力量和诚心，如今郑国的处境正是'畏首畏尾，身其余几'，既担心晋国不满来袭击，又害怕楚国攻打，到最后只能走上亡国之路。"郑公子信中的两句话意思是：一个人老是担心头部和下部被攻击，他身上还有哪些部位不怕遇袭呢？后人便引用"畏首畏尾"来形容处事瞻前顾后、疑虑重重的样子。

第125篇

měi lún měi huàn
美轮美奂

【出处】《礼记·檀弓下》
lǐ jì   tán gōng xià

【用法】住在美轮美奂的豪华住宅里，会比较
zhù zài měi lún měi huàn de háo huá zhù zhái lǐ   huì bǐ jiào
快乐吗？
kuài lè ma

【故事】赵武是春秋时的一位大夫，精明能干，又常
zhào wǔ shì chūn qiū shí de yí wèi dà fū   jīng míng néng gàn   yòu cháng
提携后辈，因此，他在晋国的声望和地位都很高。但
tí xié hòu bèi   yīn cǐ   tā zài jìn guó de shēng wàng hé dì wèi dōu hěn gāo   dàn
是，一向提倡礼仪、崇尚朴素生活的赵武，在建
shì   yí xiàng tí chàng lǐ yí   chóng shàng pǔ sù shēng huó de zhào wǔ   zài jiàn
造新房子时，却大兴土木，使用的建筑材料都是上
zào xīn fáng zi shí   què dà xīng tǔ mù   shǐ yòng de jiàn zhù cái liào dōu shì shàng
等的，又装点许多精致的饰物。因此，当新居落成
děng de   yòu zhuāng diǎn xǔ duō jīng zhì de shì wù   yīn cǐ   dāng xīn jū luò chéng
后，赵武的朋友张老认为这栋华宅，与赵武平日
hòu   zhào wǔ de péng yǒu zhāng lǎo rèn wéi zhè dòng huá zhái   yǔ zhào wǔ píng rì
倡导的简朴生活不符。于是语带讽刺地对他说："美
chàng dǎo de jiǎn pǔ shēng huó bù fú   yú shì yǔ dài fěng cì de duì tā shuō   měi
哉轮焉，美哉奂焉。"
zāi lún yān   měi zāi huàn yān
意思是：多么宏伟豪
yì si shì   duō me hóng wěi háo
华的高楼大厦呀！后
huá de gāo lóu dà shà ya   hòu
人引用"美轮美奂"
rén yǐn yòng   měi lún měi huàn
来赞美新屋等高大
lái zàn měi xīn wū děng gāo dà
华美。
huá měi

第126篇

luò yáng zhǐ guì
洛阳纸贵

【出处】唐·房玄龄《晋书·左思传》

【用法】哥哥的书一向都很畅销，用洛阳纸贵来形容也不为过。

【故事】左思是西晋时期人，长相十分难看、口才也很迟钝，却写得一手好文章。他花了十年的时间，精心写作了一篇《三都赋》，内容描述三国时期魏、蜀、吴三国首都的风土民情。这本书刚开始并没有受人重视，直到获得著名学者皇甫谧的赞赏，大家才开始争相阅读，都希望能拥有它。当时还没发明印刷术，完全要靠手抄写，因为大家都要买纸，一时之间使得首都洛阳的纸张供不应求。从此，只要有好作品，人们都会赞赏地说一句："洛阳纸贵"，意思就是称赞作品风行一时，流传很广。

第127篇

àn tú suǒ jì
按图索骥

【出处】东汉·班固《汉书·梅福传》
dōng hàn bān gù hàn shū méi fú zhuàn

【用法】他能够按图索骥而不迷路,真是不简单。
tā néng gòu àn tú suǒ jì ér bù mí lù zhēn shì bù jiǎn dān

【故事】传说,伯乐是神仙,负责管理天上的马匹。
chuán shuō bó lè shì shén xiān fù zé guǎn lǐ tiān shàng de mǎ pǐ

而在春秋时期,秦国有个人名叫孙阳,因为很有识别
ér zài chūn qiū shí qī qín guó yǒu ge rén míng jiào sūn yáng yīn wèi hěn yǒu shí bié

马匹的天分,就被称为伯乐。时间一久,大家都忘了他
mǎ pǐ de tiān fèn jiù bèi chēng wéi bó lè shí jiān yì jiǔ dà jiā dōu wàng le tā

的本名,而叫他伯乐。伯乐把他识马的经验和知识,写
de běn míng ér jiào tā bó lè bó lè bǎ tā shí mǎ de jīng yàn hé zhī shi xiě

成一本书,用图
chéng yì běn shū yòng tú

画和文字搭配着
huà hé wén zì dā pèi zhe

来介绍各种名
lái jiè shào gè zhǒng míng

驹骏马。后来伯乐
jū jùn mǎ hòu lái bó lè

的儿子自以为得
de ér zi zì yǐ wéi dé

到父亲的真传,照着书上的图画为人挑选马匹,
dào fù qīn de zhēn chuán zhào zhe shū shang de tú huà wèi rén tiāo xuǎn mǎ pǐ

但挑到的都是劣马,因为他并没有仔细阅读解说。从
dàn tiāo dào de dōu shì liè mǎ yīn wèi tā bìng méi yǒu zǐ xì yuè dú jiě shuō cóng

此,人们就用"按图索骥"来形容做事拘泥成法,毫
cǐ rén men jiù yòng àn tú suǒ jì lái xíng róng zuò shì jū nì chéng fǎ háo

无灵活变通。
wú líng huó biàn tōng

fēng mǎ niú bù xiāng jí
风马牛不相及

【出处】 春秋·左丘明《左传·僖公四年》
chūn qiū zuǒ qiū míng zuǒ zhuàn xī gōng sì nián

【用法】 这是两件风马牛不相及的事情，不要混淆在一起谈。
zhè shì liǎng jiàn fēng mǎ niú bù xiāng jí de shì qing bú yào hùn xiáo zài yì qǐ tán

【故事】 春秋时期，齐桓公率领军队攻打蔡国。弱小的蔡国，很快就全军覆没了。齐桓公想一鼓作气进军楚国。但楚成王派人到齐国，对齐桓公说："君处北海，寡人处南海，唯是风马牛不相及也。"意思是说，齐国远在北方，我们楚国则在南方，就像是放任雌马和雄牛在一起，也没有办法让它们彼此吸引，是完全没有利害冲突的两个国家，您又何苦来攻打我呢！后人便引用"风马牛不相及"来形容两件毫不相干的事情。

第129篇

yuàn tiān yóu rén
怨天尤人

【出处】《论语·宪问》
lún yǔ xiàn wèn

【用法】舅舅失业后整日怨天尤人，就是不
jiù jiu shī yè hòu zhěng rì yuàn tiān yóu rén jiù shì bù
从自身找原因。
cóng zì shēn zhǎo yuán yīn

【故事】有一天，孔子对
yǒu yì tiān kǒng zǐ duì
他的学生子贡说："这
tā de xué sheng zǐ gòng shuō zhè
个世界没有人了解我
gè shì jiè méi yǒu rén liǎo jiě wǒ
呀！"子贡一听非常惊
ya zǐ gòng yì tīng fēi cháng jīng
讶地问："老师，怎么会没
yà de wèn lǎo shī zěn me huì méi

有人了解您呢？"孔子回答说："不怨天，不尤人，下学
yǒu rén liǎo jiě nín ne kǒng zǐ huí dá shuō bú yuàn tiān bù yóu rén xià xué
而上达，知我者其天乎！"意思是：我这个人，从不会
ér shàng dá zhī wǒ zhě qí tiān hū yì si shì wǒ zhè ge rén cóng bú huì
埋怨老天爷不公平，也不会轻易责备别人，做人处事
mán yuàn lǎo tiān yé bù gōng píng yě bú huì qīng yì zé bèi bié ren zuò rén chǔ shì
的道理和天文命理的知识，我多半都能融会贯通，
de dào lǐ hé tiān wén mìng lǐ de zhī shi wǒ duō bàn dōu néng róng huì guàn tōng
了解我的人只有老天爷吧！后人将孔子的话引申为
liǎo jiě wǒ de rén zhǐ yǒu lǎo tiān yé ba hòu rén jiāng kǒng zǐ de huà yǐn shēn wéi
成语"怨天尤人"，用来形容遭遇挫折不知道反省，
chéng yǔ yuàn tiān yóu rén yòng lái xíng róng zāo yù cuò zhé bù zhī dào fǎn xǐng
只会怪罪老天或别人的人。
zhǐ huì guài zuì lǎo tiān huò bié ren de rén

第130篇

chéng mén shī huǒ　yāng jí chí yú
城门失火，殃及池鱼

【出处】北朝·杜弼《为东魏为檄梁文》

【用法】小莲做错事，害得我们全班都被处
罚，这真是城门失火，殃及池鱼呀！

【故事】春秋战国时，宋国有个人叫池仲鱼，他的家在
离城门不远的地方。某天，城门突然着火了，因为
天气十分干燥，又不
停刮着强风，使得火
越烧越烈，浓烟密布
很难将火扑灭。熊
熊烈火不停燃烧，一

下子就蔓延到池仲鱼家了，没多久池仲鱼的家就被
烧成了灰烬。而当大火炽烈的时候，池仲鱼被困在
家中，仓皇失措的他无法逃出，结果就被活活烧死。
后来民间就流传一句话：城门失火，殃及池鱼，比喻
无辜受连累。

第131篇

cǎo jiān rén mìng
草菅人命

【出处】东汉·班固《汉书·贾谊传》

【用法】他作为法官，不秉公执法，简直是草菅人命，被撤职查办是罪有应得。

【故事】汉朝时有许多地方官员，完全不看重老百姓的生命。在地方官的眼里，百姓的生命是很轻贱的，和路边的芒草一样。所以，他们经常判百姓死刑，就像摘割芒草一样，轻易摧残百姓的生命。这让当时的大臣贾谊很忧心，于是他在传记中，论及了地方官员们轻视百姓生命的恶行。其中有两句是这么说的："其视杀人，若艾草菅。"意思是：地方官草率判死刑，就像割下一枝芒草。草是割；菅是芒草。后人就引申为成语"草菅人命"。

第132篇

cǎo mù jiē bīng
草木皆兵

【出处】唐·房玄龄《晋书·符坚载记》
táng fáng xuán líng jìn shū fú jiān zǎi jì

【用法】你不要一副草木皆兵的紧张样儿，这
nǐ bú yào yí fù cǎo mù jiē bīng de jǐn zhāng yàng er zhè

样会让人对你失去信赖感。
yàng huì ràng rén duì nǐ shī qù xìn lài gǎn

【故事】东晋时，北方的
dōng jìn shí běi fāng de

前秦国皇帝符坚带领
qián qín guó huáng dì fú jiān dài lǐng

八十万大军攻打晋
bā shí wàn dà jūn gōng dǎ jìn

朝。大将军谢石、谢玄
cháo dà jiāng jūn xiè shí xiè xuán

率领八万精兵去抵
shuài lǐng bā wàn jīng bīng qù dǐ

抗。符坚听说晋军人数很少，想以速战速决的方式
kàng fú jiān tīng shuō jìn jūn rén shù hěn shǎo xiǎng yǐ sù zhàn sù jué de fāng shì

取胜。但是，当他站在城墙上眺望，看见晋军队
qǔ shèng dàn shì dāng tā zhàn zài chéng qiáng shang tiào wàng kàn jiàn jìn jūn duì

伍威武整齐、士气激昂，他心里害怕起来了。又看到远
wu wēi wǔ zhěng qí shì qì jī áng tā xīn li hài pà qǐ lai le yòu kàn dào yuǎn

方山上草木丛生，竟都当成晋军，他颤抖地指
fāng shān shang cǎo mù cóng shēng jìng dōu dàng chéng jìn jūn tā chàn dǒu de zhǐ

着草木对弟弟符融说："这满山遍野的军队全都是晋
zhe cǎo mù duì dì di fú róng shuō zhè mǎn shān biàn yě de jūn duì quán dōu shì jìn

军啊！"后来晋军轻易地打败了符坚大军。从此人们就
jūn a hòu lái jìn jūn qīng yì de dǎ bài le fú jiān dà jūn cóng cǐ rén men jiù

用"草木皆兵"来形容做事缺乏信心的样子。
yòng cǎo mù jiē bīng lái xíng róng zuò shì quē fá xìn xīn de yàng zi

第133篇

bìng rù gāo huāng
病入膏肓

【出处】春秋·左丘明《左传·成公十年》

【用法】他沉迷在网络游戏中，已到了病入膏肓的地步了。

【故事】春秋时期，晋国的国王生病了，让所有名医看过都无效。那时秦国有一位名医，人称扁鹊先生，受命为晋王治疗。

当扁鹊先生还未到达晋国之前，晋王做了一个梦，梦中他的病化成

两个童子。其中一人说："扁鹊到来会伤害我们！"另一人却说："你我分居在膏下、肓上，扁鹊也没办法！"后来扁鹊为晋王治疗时说："您的病一个在肓上，一个在膏下，所以无法医治了。"晋王大吃一惊！

后人就用"病入膏肓"形容事情到了无法弥补的严重程度。

第134篇

bān mén nòng fǔ
班 门 弄 斧

【出处】明·梅之涣《题李白墓》

【用法】他对这一款 网络游戏并不熟练，所以在高手们的面前不敢班门弄斧。

【故事】"诗仙"李白是唐朝人，在他过世后，有许多诗人，纷纷到他的坟前题诗。到了明朝，有位叫梅之涣的学者，觉得这些人太不自量力，于是也题了一首诗："采石江边一堆土，李白之名高千古；来来往往一首诗，鲁班门前弄大斧。"意思是：采石矶江边有一座坟墓，里面躺着的是旷世奇才"诗仙"李白，过往的人们都在坟上题诗，真像是在伟大的建筑师鲁班面前，卖弄使用斧头的技术呢！从此，人们从这个故事中引申出成语"班门弄斧"。

第135篇

zhǐ shàng tán bīng
纸 上 谈 兵

【出处】西汉·司马迁《史记·廉颇蔺相如列传》

【用法】他做事没有任何实践经验,经常是纸上谈兵、夸夸其谈。

【故事】赵括,是战国时期赵国大将军赵奢的儿子。他从小熟读兵书,十几岁时就可以和父亲谈论用兵之道。但父

亲总说他成不了大将军,并说:"赵括太轻看用兵大事,他若当上大将军必会使赵国灭亡。"后来,赵孝王不听人劝告,把老将军廉颇换下,改由赵括领军,结果一夜之间,就让赵国四十万士兵全军覆没。明朝翰林学士刘如孙曾题诗讽刺此事说:"朝野犹夸纸上兵。"后人引用"纸上谈兵"来形容那些做事情只懂得理论,没有实务经验的人。

第136篇

pò fǔ chén zhōu
破 釜 沉 舟

【出处】西汉·司马迁《史记·项羽本纪》

【用法】他抱着破釜沉舟的决心，坚持不懈地学习，终于通过了考试。

【故事】战国时期，秦国大将军章邯打败项梁，乘胜攻打赵王并包围巨鹿城。项梁的侄子项羽奉命去救巨鹿城，他率军渡过漳河后，命令军士们将所有的船都凿破沉到河底去；又令大家把锅碗

全部击碎，再把岸上的屋舍烧成灰烬；军士们每人身上只带着三天的干粮去上战场。大家抱着无路可退、只能战死沙场的决心，奋勇作战，在三天之内就收复了巨鹿城，这场战役也为项羽奠定了霸王的根基。后人引用"破釜沉舟"来形容人做事时，下最大的决心，一拼到底。

第137篇

pò jìng chóng yuán
破镜重圆

【出处】唐·孟棨《本事诗·情感》

【用法】他和太太破镜重圆，最高兴的是两个孩子。

【故事】六朝时期，陈后主的妹妹乐昌公主和丈夫徐德言，知道国家将灭亡，他们俩必定要被迫分离，于是德言打破一面镜子，和公主各保存一片，并约好在隔年正月十五日拿到市集去卖。后来，公主成为大将军杨素的妾。在约定之日，徐德言看见一位老者拿着破镜，立刻在镜上题："镜与人俱去，镜归人不归！"公主看了镜子上的诗文，伤心地决定绝食殉情。杨素知道事情真相后，就让他们夫妻团圆。后人于是引用"破镜重圆"来比喻分离后又复合的情侣或夫妻。

第138篇

jiā tú sì bì
家徒四壁

【出处】西汉·司马迁《史记·司马相如列传》

【用法】他家徒四壁，又没有工作能力，真令人同情。

【故事】司马相如是汉朝人，家境十分贫穷。他的好友王吉是位县官，为了帮助他，天天去他家拜访。

有一位财主卓王孙，知道相如是县官的贵客后，就设宴款待他。众人都欣赏相如俊秀的神采，尤其当他弹琴时，更深深地吸引了卓财主的女儿文君。

之后，文君爱上相如，心甘情愿地和他住在只有四面墙壁、空无一物的破旧屋子里，过着贫困的生活。

后人形容相如家境贫穷的景况是"家居徒四壁立"，引申为"家徒四壁"。意思就是：家里贫穷的只有四面墙壁，一无所有。

第139篇

chéng fēng pò làng
乘 风 破 浪

【出处】南 朝 · 沈 约《宋 书 · 宗 悫 传》
nán cháo   shěn yuē   sòng shū   zōng què zhuàn

【用法】年 轻 人 应 该 有 乘 风 破 浪 的 远 大 志
nián qīng rén yīng gāi yǒu chéng fēng pò làng de yuǎn dà zhì

向 ，不 要 整 天 只 想 玩 游 戏 。
xiàng   bú yào zhěng tiān zhǐ xiǎng wán yóu xì

【故事】宗 悫 是 南 北 朝 时 宋 国 人 ，从 小 就 练 成 一 身
zōng què shì nán běi cháo shí sòng guó rén   cóng xiǎo jiù liàn chéng yì shēn

好 武 艺 ，又 十 分 勇 敢 。他 哥 哥 宗 泌 结 婚 的 那 天 ，家 中
hǎo wǔ yì   yòu shí fēn yǒng gǎn   tā gē ge zōng mì jié hūn de nà tiān   jiā zhōng

热 闹 非 凡 。突 然 ，有 十 几 名
rè nao fēi fán   tū rán   yǒu shí jǐ míng

强 盗 想 趁 他 家 办 喜
qiáng dào xiǎng chèn tā jiā bàn xǐ

事 来 抢 劫 。宗 悫 独 自
shì lái qiǎng jié   zōng què dú zì

一 人 挺 身 出 来 ，把 十 几
yì rén tǐng shēn chū lai   bǎ shí jǐ

名 盗 匪 打 得 落 荒 而
míng dào fěi dǎ de luò huāng ér

逃 。他 叔 叔 高 兴 地 夸 赞 他 ，并 且 问 ："你 将 来 想 做 什
táo   tā shū shu gāo xìng de kuā zàn tā   bìng qiě wèn   nǐ jiāng lái xiǎng zuò shén

么？"宗 悫 豪 气 万 千 地 说 ："愿 乘 长 风 破 万 里 浪 ！"
me   zōng què háo qì wàn qiān de shuō   yuàn chéng cháng fēng pò wàn lǐ làng

意 思 是 他 不 怕 艰 难 ，要 闯 出 一 番 伟 大 的 事 业 。后 来 ，
yì si shì tā bú pà jiān nán   yào chuǎng chū yì fān wěi dà de shì yè   hòu lái

宗 悫 果 然 为 国 家 立 下 汗 马 功 劳 。而 他 所 说 的 话 也 被 简
zōng què guǒ rán wèi guó jiā lì xià hàn mǎ gōng láo   ér tā suǒ shuō de huà yě bèi jiǎn

化 为 "乘 风 破 浪"，以 勉 励 年 轻 人 。
huà wéi   chéng fēng pò làng   yǐ miǎn lì nián qīng rén

第140篇

乘龙快婿
chéng lóng kuài xù

【出处】晋·张方《楚国先贤传》

【用法】她以为找到乘龙快婿了，没想到对方竟是个大骗子。

【故事】春秋时期，秦穆公一心想为小女儿弄玉找位好丈夫。某天夜晚，弄玉梦见一名吹奏玉箫的男子对她说："我是太华山主人，玉帝命我与你结为夫妻，今年中秋是我们团圆的佳期。"隔天弄玉把梦告诉穆公，他立刻派人上太华山，找到一位叫萧史的青年，他吹奏的箫声令弄玉陶醉地说："就是他！"当天正是中秋节，他们俩就结婚了。半年后的某个夜晚，传说萧史乘坐龙、弄玉乘坐凤，离开人间回到天庭。因萧史是穆公挑选的好女婿，人们于是称他为乘龙快婿。

第141篇

xiōng yǒu chéng zhú
胸有成竹

【出处】宋·苏轼《文与可画筼谷偃竹记》

【用法】别看他一副胸有成竹的样子，其实他的内心很紧张。

【故事】宋朝有位读书人名叫文与可，他很擅长画画儿，常常画一些虫鱼花鸟。他特别喜爱竹子，就在屋前窗下种植许多青竹，每日从早到晚悉心照料，不论风霜雨雾，他都会倚窗欣赏那些青竹，仔细观察竹叶、竹枝在不同的季节和天气里，所呈现出的不同姿态与变化。时间久了，竹的各种姿态与变化，深深烙印在他的心中。因此，他笔下的修竹极富生气而动人。他的朋友晁补之因而夸赞他说："与可画竹，胸有成竹。"后人便引用"胸有成竹"比喻有十足的把握完成一件事。

第142篇

láng bèi wéi jiān
狼狈为奸

【出处】清·褚人穫《隋唐演义》

【用法】汪精卫甘心当汉奸，与日本人狼狈为奸，必将被后人鄙视。

【故事】狼和狈都是野兽，但狼的前腿长、后腿短，狈则刚好相反。有一次，狼和狈想偷吃羊圈里的羊，圈子太高它们跳不进去，于是想出了一个办法：让前腿长的狼骑在狈的颈子上，后腿长的狈站起来把狼驮高，如此分工合作，狼和狈一次又一次顺

利地偷吃了羊圈里的羊。因此，古书上记载："狼无狈不立，狈无狼不行。"后人就把这两句话引申为成语"狼狈为奸"，比喻两人或是多人聚在一起，互相勾结做坏事。

第143篇

chái láng dāng dào
豺 狼 当 道

【出处】汉·荀悦《汉纪·平帝纪》

【用法】日本人侵占了东北，豺狼当道，老百姓没法活了。

【故事】后汉顺帝时，为了检举出贪官，选了八名特使到各地巡查，其中最年轻的张纲，在别的特使都出发后，他却卸下自己的车轮，埋在洛阳城外的驿站，感慨地说："豺狼当道，安问狐狸。"意思是：大恶不除，何必问那些小恶！张纲口中的大恶，指的就是国舅梁翼。他倚仗自己的权势，胡作非为，笼络满朝贪官污吏，把国家搞得乌烟瘴气，但谁也不敢检举他。

张纲的感慨，也是所有人的心声。从此，大家引用"豺狼当道"来比喻坏人掌权的现象。

第144篇

chún wáng chǐ hán
唇 亡 齿 寒

【出处】春秋·左丘明《左传·僖公五年》

【用法】这两家公司处在一条生产链上，在经营中有唇亡齿寒的关系。

【故事】春秋时，虞、虢两国同姓又相连在一起，都和晋国为邻。有一次，晋献公想攻打虢国，必须经过虞国，他派人送给虞公四匹骏马、一对珍贵的玉璧，要求借一条便道去虢国，贪图近利的虞公收下贿赂，答应晋国的要求。大夫宫之奇劝虞公说："虞、虢两国就像唇齿一样相互依存，所谓唇亡齿寒，今日虢国灭亡，明日虞国就遭殃了。"但虞公不听规劝，让晋国军队通过虞国灭掉虢国，晋国军队在回来的时候也一并灭掉了虞国。后人就用"唇亡齿寒"来形容共存共荣的关系。

第145篇

gāo péng mǎn zuò
高朋满座

【出处】唐·王勃《滕王阁序》

【用法】今天是爷爷的六十岁生日，家里高朋满座，好不热闹。

【故事】王勃是唐朝极负盛名的诗人。有一天，王勃去探访南昌都督阎伯屿，正巧伯屿在滕王阁大宴宾客，王勃也参加了盛宴。伯屿的外甥也在座席中，而且颇有一点文才，伯屿想让外甥出出风头，于是叫他把当日滕王阁的聚会写下来，同时也客气地

请宾客们也写一篇。王勃不明白伯屿的用心，毫不客气地写了一篇《滕王阁序》，立刻获得满堂喝彩，宾客们赞叹不已。其中有两句："千里逢迎，高朋满座。"后人便用来形容宴客的盛况。

第146篇

gāo zhěn wú yōu
高 枕 无 忧

【出处】西汉·刘向《战国策·魏策一》
xī hàn　liú xiàng　zhàn guó cè　wèi cè yī

【用法】由于这次期末考试成绩很优异，他就
yóu yú zhè cì　qī mò kǎo shì chéng jì hěn yōu yì　tā jiù

可以高枕无忧，不用再怕父亲责骂了。
kě yǐ gāo zhěn wú yōu　bú yòng zài pà fù qīn zé mà le

【故事】冯谖是春秋时期齐国孟尝君门下的食客。
féng xuān shì chūn qiū shí qī qí guó mèng cháng jūn mén xià de shí kè

有一次，孟尝君派他去薛地催收农民的田租，他却
yǒu yí cì　mèng cháng jūn pài tā qù xuē dì cuī shōu nóng mín de tián zū　tā què

把农民们的田租给全免了。后来，孟尝君被齐王
bǎ nóng mín men de tián zū gěi quán miǎn le　hòu lái　mèng cháng jūn bèi qí wáng

免职，无处安身，只有薛地的百姓收留他，对他盛情
miǎn zhí　wú chù ān shēn　zhǐ yǒu xuē dì de bǎi xìng shōu liú tā　duì tā shèng qíng

款待。此后，冯谖又对孟尝君说："狡兔有三窟，而
kuǎn dài　cǐ hòu　féng xuān yòu duì mèng cháng jūn shuō　jiǎo tù yǒu sān kū　ér

您现在只有一窟，还不能把枕头垫得高高的睡觉，我
nín xiàn zài zhǐ yǒu yì kū　hái bù néng bǎ zhěn tóu diàn de gāo gāo de shuì jiào　wǒ

愿再为您找两窟。"于是，他告诉梁惠王，若能聘请
yuàn zài wèi nín zhǎo liǎng kū　yú shì　tā gào su liáng huì wáng　ruò néng pìn qǐng

孟尝君帮他治国，必定会国富民强，惠王便下
mèng cháng jūn bāng tā zhì guó　bì dìng huì guó fù mín qiáng　huì wáng biàn xià

重金三请孟尝君。齐王知道后，赶紧备厚礼把孟
zhòng jīn sān qǐng mèng cháng jūn　qí wáng zhī dào hòu　gǎn jǐn bèi hòu lǐ bǎ mèng

尝君又请回齐国。冯谖对孟尝君说："君可以高
cháng jūn yòu qǐng huí qí guó　féng xuān duì mèng cháng jūn shuō　jūn kě yǐ gāo

枕为乐了！"后人将这句话引
zhěn wéi lè le　hòu rén jiāng zhè jù huà yǐn

申为"高枕无忧"，形容平安
shēn wéi　gāo zhěn wú yōu　xíng róng píng ān

无事，无所顾虑。
wú shì　wú suǒ gù lù

第147篇

guǐ fǔ shén gōng
鬼斧神工

【出处】战国·庄周《庄子·达生》

【用法】这里的建筑真可谓鬼斧神工，令人叫绝。

【故事】秦始皇在位时，派人建造了许多楼台殿宇，其中最奇特宏伟的是云明台。传说在建造云明台时，有两位工匠不用梯子绳索，就能在空中挥斧雕凿，并且从午夜子

时到正午午时，就全部完工。所以，云明台又称子午台。由于工匠的神奇技艺，人们称他们是"鬼斧"。表示一般人无法做到。就在当时，从西域也来了一位神奇的雕刻匠，他擅长用玉石雕刻兽类，传说他雕刻的玉虎眼睛会活动，因此人们称他为"神工"。后人便以"鬼斧神工"，比喻技艺高超，几乎不是人力所能达到的。

第148篇

袖手旁观
xiù shǒu páng guān

【出处】唐·韩愈《祭柳子厚文》
táng hán yù jì liǔ zǐ hòu wén

【用法】妈妈让小文帮忙洗衣服，小文却在
mā ma ràng xiǎo wén bāng máng xǐ yī fu xiǎo wén què zài

一旁袖手旁观而不肯帮忙。
yì páng xiù shǒu páng guān ér bù kěn bāng máng

【故事】柳宗元又名子厚，是唐朝著名的大文学家。
liǔ zōng yuán yòu míng zǐ hòu shì táng cháo zhù míng de dà wén xué jiā

他的文章意蕴深远，深受人们的喜爱，由于他性情
tā de wén zhāng yì yùn shēn yuǎn shēn shòu rén men de xǐ ài yóu yú tā xìng qíng

耿直，不流于世俗，所以官运不佳，在被贬为柳州刺史
gěng zhí bù liú yú shì sú suǒ yǐ guān yùn bù jiā zài bèi biǎn wéi liǔ zhōu cì shǐ

任内去世。当时的大文豪
rèn nèi qù shì dāng shí de dà wén háo

韩愈，欣赏柳宗元的博
hán yù xīn shǎng liǔ zōng yuán de bó

学和才能，写了一篇《祭
xué hé cái néng xiě le yì piān jì

柳子厚文》悼念他。其中
liǔ zǐ hòu wén dào niàn tā qí zhōng

有几句是这样："不善为斫，血指汗颜；巧匠旁观，
yǒu jǐ jù shì zhè yàng bú shàn wéi zhuó xuè zhǐ hàn yán qiǎo jiàng páng guān

缩手袖间。"意思是：不懂砍伐树木的人，弄得指破汗
suō shǒu xiù jiān yì si shì bù dǒng kǎn fá shù mù de rén nòng de zhǐ pò hàn

流；而灵巧熟悉的能匠，却在一旁观看。文句中对
liú ér líng qiǎo shú xī de néng jiàng què zài yì páng guān kàn wén jù zhōng duì

子厚怀才不遇的境况，充满了惋惜之情。后人用
zǐ hòu huái cái bú yù de jìng kuàng chōng mǎn le wǎn xī zhī qíng hòu rén yòng

"袖手旁观"来形容置身事外，不过问其事。
xiù shǒu páng guān lái xíng róng zhì shēn shì wài bú guò wèn qí shì

第149篇

tān xiǎo shī dà
贪小失大

【出处】战国·吕不韦等《吕氏春秋·权勋》

【用法】他喝了来路不明的便宜果汁，结果贪小失大，住进医院，花了很多医疗费。

【故事】秦惠王要出兵攻打蜀国，秦军大队人马来到蜀国边境。因为山路乱石阻碍，崎岖难行，军士们想出一个方法，在乱石中凿出五只石牛，在牛的臀部下摆放金子，并一路撒许多金子，说要送给蜀侯。蜀侯立刻派遣数百名壮硕的青年，前去掘石铺路，好把石牛引到蜀国。但是，当青年们凿石开路后，引进的不是带黄金的石牛，而是大队秦军，蜀国就这么灭亡了。蜀侯因为贪小利而失掉了蜀地，真是得不偿失啊！后人用"贪小失大"形容因为贪图便宜而失掉大的利益。

第150篇

tān dé wú yàn
贪得无厌

【出处】春秋·左丘明《左传·昭公二十八年》

【用法】到饭店吃自助餐，不要贪得无厌盛太多菜，那是不合礼仪的。

【故事】知伯是战国时期人，他野心勃勃，不断地扩充自己的领地，短短几年他就从各国巧取豪夺了许多土

地。有一次，知伯要求赵襄王将蔡与皋狼两地割让给他，襄王不答应。知伯便联合韩、魏两国把赵襄王围困在晋阳。整整三年时间，襄王就困守在晋阳。最后，襄王采纳张孟的计策，挑拨知伯与韩、魏两国之间的关系，使他们反目成仇。赵襄王再与韩、魏结盟，杀死了知伯。天下人都说这是知伯贪得无厌的结果。后人用"贪得无厌"来形容贪心不满足的人。

150

第157篇

yōng rén zì rǎo
庸人自扰

【出处】宋·欧阳修等《新唐书·陆象先传》

【用法】你就安心做事吧，不要庸人自扰。

【故事】陆象先是唐朝时期人，他父亲是武则天时期的宰相。象先自小受家庭熏陶，因此心胸宽阔，气量大度。他担任按察使时，对人宽大有礼，他的参谋提醒他应该严厉些，让部下畏惧，好为自己立下威名。

象先说："当政者不该以严刑来树立威仪，那太损人不利己了。"他经常对人说："天下本无事，庸人自扰之！"意思是：人们在事情未发生前，总有过多的担忧，怕这个、防那个而制定许多条规，反倒使事情不易展开。后来，人们就用成语"庸人自扰"来形容平庸的人没事找事、自寻烦恼。

第158篇

wàng chén mò jí
望 尘 莫 及

【出处】战国·庄周《庄子·田子方》

【用法】他研究钢琴造诣很深，我望尘莫及。

【故事】吴庆之是南北朝时宋国人，曾经辅佐过扬州太守王义恭。后来，王义恭得罪了皇帝被杀，庆之十分自责，而不愿意再出来做官。过了一段时间，王琨出任太守想请庆之做他的助理。但庆之说："我什么都不懂，找我做官，简直就是把鱼养在树上啊！"庆之话一说完，拔腿就跑了。王琨跟在后面追，怎么也追不上。最后他叹息地说："我望尘莫及呀！"原来吴庆之跑得急，扬起太多尘土，使王琨没办法追上。后人引用这句话，比喻远远落在他人或他事物之后，也用来表示谦虚，谦称自己与对方差得很远。

第153篇

wàng méi zhǐ kě
望 梅 止 渴

【出处】南朝·刘义庆《世说新语·假谲》

【用法】台风天被困在山区没水没电时，我们只能望梅止渴，画饼充饥。

【故事】三国时期，战事很频繁。有一次，刘备被吕布逼得走投无路了，于是到许昌投靠曹操。有一天，曹操在青梅园里煮酒宴请刘备。曹操说："今日青梅成熟，使我想起一段往事。去年此时，我们在行军的路上，因水

源被阻断，兵士们口渴难耐，于是我骗他们，说前面有一大片梅园，树上梅子酸甜可口，必能解渴。兵士们一听到梅子，口水都流出来了，于是加快了行军的脚步，终于找到了水源。"后人将这故事引申为"望梅止渴"，比喻用空想来宽慰自己。

第154篇

zhǐ gāo qì yáng
趾高气扬

【出处】春秋·左丘明《左传·桓公一三年》

【用法】因为他在球场上趾高气扬，所以队友们都不愿配合他。

【故事】屈瑕是春秋时楚国的将军。有一回，他率军攻打绞国，打了胜仗回来，很得意，也很骄傲。第二年，屈瑕奉命去讨伐罗国，门伯比将军为他送行。门将军看见屈瑕志得意满，走路一翘一昂的姿态，赶紧回去对楚王说："屈瑕走路的姿态显露出他并没有

决心要打胜仗，他只是去吓唬敌人的，这必定会输，快命救兵去接应吧！"但楚王没有采纳门伯比的建议。结果屈瑕真的惨败，他也自杀了。从此，人们便把屈瑕走路一翘一昂的姿态，引申为"趾高气扬"，形容骄傲自满、得意忘形的样子。

第155篇

tuī xīn zhì fù
推心置腹

【出处】南朝·范晔《后汉书·光武帝纪上》

【用法】朋友间要推心置腹，这样的友谊才会长久。

【故事】西汉末年，王莽夺取政权建立新朝，天下人群起反抗，并拥立刘玄做皇帝。后来王莽过世，刘秀攻破邯郸城，刘玄封他为萧王。之后，刘秀把曾经和他敌对的官兵，改编为自己的部队，其中的许多将领担心会被刘秀消灭，心里很不安。刘秀知道以后，让这些将领依旧统帅原来的部队，并且不干涉将领们做任何事。将领们得到刘秀充分的信任以后，感动地说："萧王'推赤心，置人腹中'，我们应当至死效忠啊！"有了这群推心置腹的将官拥戴，使刘秀逢战必胜。

"读·品·悟" 小学生必读 智慧故事书系

第156篇

yù gài mí zhāng

欲盖弥彰

【出处】chūn qiū zuǒ qiū míng 《左传·昭公三一年》

【出处】春秋·左丘明《左传·昭公三一年》

yǒu le guò cuò bù gǎi zhèng ér shì yí wèi yǐn mán zhè

【用法】有了过错不改正，而是一味隐瞒，这

shì yù gài mí zhāng chí zǎo nǐ yào chī dà kuī

是欲盖弥彰，迟早你要吃大亏。

hēi gōng shì chūn qiū shí zhū

【故事】黑肱是春秋时邾

guó de dà fū què wèi le dé dào lǔ

国的大夫，却为了得到鲁

guó bì hù tōu tōu de bǎ yí zuò chéng

国庇护，偷偷地把一座城

sòng gěi lǔ guó lǔ guó shì ge zhòng

送给鲁国。鲁国是个重

shì lǐ yí de guó jiā tā men hěn shèn zhòng de bǎ hēi gōng tóu bèn de shì qíng zhí

视礼仪的国家，他们很慎重地把黑肱投奔的事情，直

jiē yǐ zhū hēi gōng de míng yì jì zǎi zài lǔ guó de shǐ cè shang lǔ guó jiù yǒu

接以邾黑肱的名义记载在鲁国的史册上。鲁国就有

rén pī píng shuō qiè dào chéng shì bèi pàn zì jǐ guó jiā de rén zhōng shēn dōu

人批评说："窃盗城市，背叛自己国家的人，终身都

yào bēi fù bú yì zhī míng liú chuán wàn shì yě xiāo miè bú diào tā de zuì xíng zhè

要背负不义之名，流传万世也消灭不掉他的罪行。这

xiē rén zhōng yǒu de xiǎng liú míng wàn shì shǐ cè shang què bú jì zǎi yǒu de xiǎng

些人中有的想留名万世，史册上却不记载；有的想

jiāng xìng míng yǐn cáng què zài shǐ cè shang liú míng hòu rén yǐn yòng zhè jù huà

将姓名隐藏，却在史册上留名。"后人引用这句话

zuò wéi chéng yǔ yù gài mí zhāng bǐ yù xiǎng yǎn gài huài shì de zhēn xiàng

作为成语"欲盖弥彰"，比喻想掩盖坏事的真相，

jié guǒ fǎn ér gèng míng xiǎn de bào lù chu lai

结果反而更明显地暴露出来。

第157篇

jié zú xiān dēng
捷足先登

【出处】西汉·司马迁《史记·淮阴侯列传》

【用法】那本书很好,他想买可是没有带足够的钱,等下次来已被别人捷足先登了。

【故事】汉高祖刘邦是个疑心很重的人。在楚汉相争时,他因为担心韩信叛变而立他为齐王。韩信的谋士蒯通就劝韩信离开刘邦,联络楚王项羽。韩信不肯,最后,他还是被刘邦的妻子杀了。刘邦听说蒯通曾劝韩信叛变,想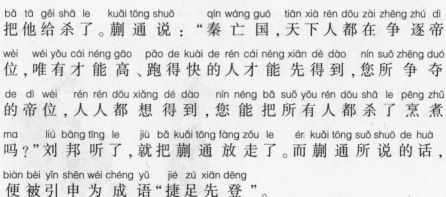把他给杀了。蒯通说:"秦亡国,天下人都在争逐帝位,唯有才能高、跑得快的人才能先得到,您所争夺的帝位,人人都想得到,您能把所有人都杀了烹煮吗?"刘邦听了,就把蒯通放走了。而蒯通所说的话,便被引申为成语"捷足先登"。

第158篇

shě běn zhú mò
舍本逐末

【出处】战国·吕不韦 等《吕氏春秋·上农》

【用法】治病要找出病源，否则就是舍本逐末，很难治愈。

【出处】战国时期，齐王写了一封问候信，交给使臣去拜访赵威后。威后还没拆信，就迫不及待地问："贵国的庄稼收成好吗？百姓都平安吗？齐王都好吧？"使臣很不高兴地回答说："齐王命我来问候您，您不先关心齐王，反而先关心庄稼、百姓。"威后笑着说："你的观念得改一改！没有庄稼就没有人民，没有人民，哪来的国君呢？照你的说法，岂不是要先舍弃根本的而只专注在不重要的问题上？""舍本逐末"的成语就是指做事不从根本上着手，而在枝节上用工夫。

第159篇

qiǎng cí duó lǐ
强词夺理

【出处】明·罗贯中《三国演义》

【用法】明明是你不对，还要强词夺理，太不像话了。

【故事】战国时期，宋国有位极爱与人强辩的大夫，名叫高扬应。不论有没有道理，高扬应都要与人强辩。有一天，他准备木头要盖房子，一位老木匠看看木头，对他说："这木头是湿的，用来做梁柱很容易出现裂痕，将来房子会倒塌，等木头风干了再动工吧！"扬应却说："我这木头湿的时候都能够支撑屋顶，干了之后更有力，怎么会倒塌呢？"于是，他还是坚持继续盖房子，但没过多久，房子果然倒塌了。后人就把高扬应的强辩，引申为成语"强词夺理"，比喻无理好辩，明明没理硬说有理的人。

yǎn qí xī gǔ
偃旗息鼓

【出处】晋·陈寿《三国志·蜀书·赵云传》

【用法】我军主力部队，偃旗息鼓、隐蔽地行军，终于将敌人包围了。

【故事】三国时期，蜀军大将黄忠杀死曹操爱将夏侯渊，曹操亲自率领二十万大军来报仇，并派张郃屯守粮草。蜀将赵云和黄忠奉命抢粮草。赵云先胜后败，被曹操大军追赶，冲回营寨时，赵云大叫："更大开明，偃旗息鼓。"意思是：大开寨门，军

旗倒放，停止击战鼓。曹操率军攻近时，只见赵云独自提枪站在寨门外。正当曹操进退两难时，壕沟里发出了雨点般的利箭，曹操大军溃散，赵云和黄忠顺利夺下曹军的粮草。后人引用"偃旗息鼓"，指军队隐蔽行踪，不暴露目标，也指停止战斗。

第161篇

huàn dé huàn shī
患得患失

【出处】《论语·阳货》
lún yǔ   yáng huò

【用法】您这样患得患失的，很难把工作做好。
nín zhè yàng huàn dé huàn shī de   hěn nán bǎ gōng zuò zuò hǎo

【故事】在孔子的眼中，有一种人是卑鄙陋劣，很难一
zài kǒng zǐ de yǎn zhōng   yǒu yì zhǒng rén shì bēi bǐ lòu liè   hěn nán yì
起共事的，更别谈要一同侍奉君王了。是哪一种人
qǐ gòng shì de   gèng bié tán yào yì tóng shì fèng jūn wáng le   shì nǎ yì zhǒng rén
呢？孔子说："其未得之也，患得之；既得之，患失之。"
ne   kǒng zǐ shuō   qí wèi dé zhī yě   huàn dé zhī   jì dé zhī   huàn shī zhī
意思是说：这种人在还未得到官职的时候，既要担心
yì si shì shuō   zhè zhǒng rén zài hái wèi dé dào guān zhí de shí hou   jì yào dān xīn
得不到，又要担心得到了却做不好；真正得到了官
dé bú dào   yòu yào dān xīn dé dào le què zuò bù hǎo   zhēn zhèng dé dào le guān
职，他还会担心失去。因此，就不计任何代价想要巩固
zhí   tā hái huì dān xīn shī qù   yīn cǐ   jiù bú jì rèn hé dài jià xiǎng yào gǒng gù
职位，在这种情况下，他就不分好事坏事都做出来。
zhí wèi   zài zhè zhǒng qíng kuàng xià   tā jiù bù fēn hǎo shì huài shì dōu zuò chu lai

后人就将孔子的这
hòu rén jiù jiāng kǒng zǐ de zhè
段话引申为成语
duàn huà yǐn shēn wéi chéng yǔ
"患得患失"，比喻人
huàn dé huàn shī   bǐ yù rén
一味担心得失，斤斤计
yí wèi dān xīn dé shī   jīn jīn jì
较个人的利害。
jiào gè rén de lì hài

第162篇

tòng xīn jí shǒu
痛心疾首

【出处】春秋·左丘明《左传·成公十三年》

【用法】你这样自暴自弃，会令父母、师长痛心疾首的。

【故事】春秋时期，晋献公把女儿嫁给秦穆公，因为这层联姻关系，所以有"秦晋之好"的说法。但是，事实是两国国境相接，为了拓展各自的势力范围，仍

不时会有冲突。在秦桓公与晋厉公的时期，两国签订友好盟约，不再彼此侵犯。但是，秦桓公很快就反悔了，晋国痛恨秦国如此不守信用，便派吕丞相去和秦国断交。并且表达心声说："斯是用痛心疾首，昵就寡人。"意思是：如今各国都痛恨秦国背信弃义，而转向与晋国友好了。后人用"痛心疾首"来形容伤心痛恨到极点。

第163篇

yóu rèn yǒu yú
游刃有余

【出处】战国·庄周《庄子·养生主》

【用法】他当了二十年的法官，任何案件他都能游刃有余，处理得很好。

【故事】文惠君有位厨师名叫庖丁，他在杀牛的时候，三两下就使皮肉与骨头脱离。文惠君惊讶地问他："你的技术怎么如此高超呢？"庖丁说："我初学杀牛时，满眼看见的全部是牛，而三年后我所看见的只有牛骨骼和肌肉组织，所以，我轻松熟练地分解牛；又因为我懂得运用刀，一般好师傅一年换一把刀，而我这把刀却用了十九年。这是因为牛骨节间有空隙，所以，我的刀刃在牛架的空隙里可以转动回旋，还有多余的空间呢！"后人因此引申出成语"游刃有余"，比喻人处理事情技艺熟练、轻松利落。

第164篇

huà hǔ lèi quǎn
画虎类犬

【出处】东汉·班固等《东汉观记·马援传》

【用法】你不要再模仿阿妹了，这样画虎类犬太惹人嘲笑了。

【故事】东汉时期，马援将军有一次写信教训他侄子，说："我希望你们能多学习别人的长处，比如龙高伯是一个敦厚、谨慎的人。你们应仿效他的好品行，纵使你们无法全然像他，也要像画鹜一样，画不

成，画出鹰来，但都是飞禽；再比如杜季良是位豪爽侠义之士，我不愿你们模仿他，因为学不成，反倒变得轻浮了。那就好比想画一只老虎，却画出一只狗来，那是本质完全不一样的兽类呀！"于是，后人以"画虎类犬"来比喻人学习能力不强，好高骛远，一无所成，反成了别人的笑料。

第 165 篇

chuàng yè wéi jiān
创业维艰

【出处】唐·吴兢《贞观政要》
táng   wú jīng   zhēn guān zhèng yào

【用法】只要你懂得创业维艰的道理，就会
zhǐ yào nǐ dǒng dé chuàng yè wéi jiān de dào lǐ   jiù huì
珍惜今天的美好生活。
zhēn xī jīn tiān de měi hǎo shēng huó

【故事】唐太宗李世民，从小就很聪明，遇到事情非
táng tài zōng lǐ shì mín   cóng xiǎo jiù hěn cōng míng   yù dào shì qing fēi
常果断，胆识过人。有一天，太宗问大臣们，说："是
cháng guǒ duàn   dǎn shí guò rén   yǒu yì tiān   tài zōng wèn dà chén men   shuō   shì
创业维艰，还是守住基业艰难呢？"大臣房玄龄说：
chuàng yè wéi jiān   hái shì shǒu zhù jī yè jiān nán ne   dà chén fáng xuán líng shuō
"陛下创业初期，天下纷乱，盗贼四起，历经数百场
bì xià chuàng yè chū qī   tiān xià fēn luàn   dào zéi sì qǐ   lì jīng shù bǎi chǎng
战役，才有今日的太平盛世，我认为创业最艰难。"
zhàn yì   cái yǒu jīn rì de tài píng shèng shì   wǒ rèn wéi chuàng yè zuì jiān nán
大臣魏征说："自古帝王都是经历困难才一统天下
dà chén wèi zhēng shuō   zì gǔ dì wáng dōu shì jīng lì kùn nán cái yì tǒng tiān xià
的，但到后来都太安逸，才会失去天下的，所以守业不
de   dàn dào hòu lái dōu tài ān yì   cái huì shī qù tiān xià de   suǒ yǐ shǒu yè bú
易呀！"太宗笑着
yì ya   tài zōng xiào zhe
说："创业维艰，
shuō   chuàng yè wéi jiān
守业不易，我们可
shǒu yè bú yì   wǒ men kě
得继续努力才行
děi jì xù nǔ lì cái xíng
啊。"
a

第166篇

dào tīng tú shuō
道听途说

【出处】《论语·阳货》

【用法】新闻工作者不能道听途说，要对事实负责。

【故事】艾子是春秋战国时期人。有一次他到齐国，毛空告诉他："有个人家的鸭子一次下一百颗蛋。"艾子说："不可能！"毛空又说："是三只鸭子下的。"艾子说："你为什么不减少鸭蛋的数量呢？"毛空接着对艾子说："上个月天上掉下一块肉，有三十丈长、十

丈宽。"艾子摇摇头说："全天下找不出这么大块的肉！你刚才说的鸭子是哪一家的？从天而降的肉又在哪里呢？"毛空说："我是听别人说的。"艾子于是对他的学生说："到处传讲没有事实根据的话，就像毛空一样道听途说。"后来人们就用"道听途说"来比喻无根据的传闻。

第167篇

wú yù zé gāng
无欲则刚

【出处】《论语·公冶长》
lún yǔ　　gōng yě cháng

【用法】私心太多的人，容易犯错，还是无欲则
sī xīn tài duō de rén　róng yì fàn cuò　hái shi wú yù zé
刚 的 好。
gāng de hǎo

【故事】有一天，孔子非常感慨地对学生说："周游
yǒu yì tiān　kǒng zǐ fēi cháng gǎn kǎi de duì xué sheng shuō　　zhōu yóu
列国这么久了，我从来没有见到过一位真正刚强、
liè guó zhè me jiǔ le　wǒ cóng lái méi yǒu jiàn dào guo yí wèi zhēn zhèng gāng qiáng
不轻易屈服的人。"立刻就有学生回答说："有啊！申
bù qīng yì qū fú de rén　lì kè jiù yǒu xué sheng huí dá shuō　　yǒu a　shēn
枨 不就是个刚强的人吗？"孔子反驳说："枨也欲，
chéng bú jiù shì ge gāng qiáng de rén ma　kǒng zǐ fǎn bó shuō　chéng yě yù
焉得刚？"意思是说，申枨这个人，对任何事都充满
yān dé gāng　yì si shì shuō　shēn chéng zhè ge rén　duì rèn hé shì dōu chōng mǎn
了欲望，一个欲望过多的人，怎么能算是坚强不屈
le yù wàng　yí ge yù wàng guò duō de rén　zěn me néng suàn shì jiān qiáng bù qū
的人呢？孔子又说："所谓'刚'，并不是指逞强好
de rén ne　kǒng zǐ yòu shuō　suǒ wèi　gāng　bìng bú shì zhǐ chěng qiáng hào
胜，而是一种克制自己的功夫。能够克制住自己的欲
shèng　ér shì yì zhǒng kè zhì zì jǐ de gōng fu　néng gòu kè zhì zhù zì jǐ de yù
望，无论在任何环境中，都不违背天理，这才算是真
wàng　wú lùn zài rèn hé huán jìng zhōng　dōu bù wéi bēi tiān lǐ　zhè cái suàn shì zhēn
正的'刚'啊！"从此，大家就把孔子所说的话，引申
zhèng de　gāng　a　cóng cǐ　dà jiā jiù bǎ kǒng zǐ suǒ shuō de huà　yǐn shēn
为成语"无欲则刚"来提醒世
wéi chéng yǔ　wú yù zé gāng　lái tí xǐng shì
人要无欲无求，才能成为真
rén yào wú yù wú qiú　cái néng chéng wéi zhēn
正刚强的人。
zhèng gāng qiáng de rén

第168篇

短兵相接
duǎn bīng xiāng jiē

【出处】西汉·刘向《楚辞·九歌·国殇》

【用法】两军短兵相接、战况特别激烈。

【故事】楚汉相争初期,汉王刘邦攻占彭城,但又被楚王项羽打败。项羽命部将丁公,率军追杀刘邦,在紧急危难之中,刘邦动之以情地对丁公说:"你我都是英雄,何必苦苦相逼呢?"丁公一听,带兵退去,刘邦这才安然脱

逃。太史公司马迁在《史记》上这么写:"丁公逐窘高帝彭城西,短兵相接。"意思是:丁公追逼刘邦到彭城西边,两军对峙以短兵器彼此攻击作战。后人也引用"短兵相接"来比喻人与人或团体,相处不和睦的情况。

第169篇

zhòng zhì chéng chéng
众 志 成 城

【出处】春秋·左丘明《国语·周语下》

【用法】只要我们团结起来,众志成城,胜利必定属于我们。

【故事】周朝景王为了改革币制,下令废止小钱,铸造大钱,使百姓们损失惨重。后来,景王又搜刮百姓们的铜器,铸一口大钟。他得意地对乐官洲鸠说:"这钟声挺和谐悦耳的。"洲鸠深知百姓的痛苦,于是对景王说:"你铸了大钱和大钟,弄得百姓穷困潦倒,人人怨恨,我从未听见什么和谐的声音!俗语说'众心成城,众口铄金',百姓同心拥护的事情会像城堡一样牢固,但他们群起唾弃的事情,就算是磐石也会消溶!"这番话后来被引申为成语"众志成城",意思是:众人一心,力量可以共同筑起一座城。

第170篇

è guàn mǎn yíng
恶 贯 满 盈

【出处】《尚书·泰誓上》
shàng shū tài shì shàng

【用法】警察终于抓到恶贯满盈的杀人犯了。
jǐng chá zhōng yú zhuā dào è guàn mǎn yíng de shā rén fàn le

【故事】商纣王是一个昏庸残暴的君主，百姓们对
shāng zhòu wáng shì yí ge hūn yōng cán bào de jūn zhǔ bǎi xìng men duì

他既恨又怕，诸侯们也反对他。当时，有位诸侯叫姬
tā jì hèn yòu pà zhū hóu men yě fǎn duì tā dāng shí yǒu wèi zhū hóu jiào jī

昌，也就是后来的周文王。曾因受百姓的爱戴而被
chāng yě jiù shì hòu lái de zhōu wén wáng céng yīn shòu bǎi xìng de ài dài ér bèi

纣王囚禁。姬昌的儿
zhòu wáng qiú jìn jī chāng de ér

子姬发，率领诸侯起
zi jī fā shuài lǐng zhū hóu qǐ

兵讨伐商纣王。大
bīng tǎo fá shāng zhòu wáng dà

军出发之前，姬发说：
jūn chū fā zhī qián jī fā shuō

"商罪贯盈，天命诛
shāng zuì guàn yíng tiān mìng zhū

之。"意思是说：商纣王坏事做尽，老天都要惩罚
zhī yì si shì shuō shāng zhòu wáng huài shì zuò jìn lǎo tiān dōu yào chéng fá

他。后来，商纣王大败自焚而死，商朝灭亡。姬发
tā hòu lái shāng zhòu wáng dà bài zì fén ér sǐ shāng cháo miè wáng jī fā

继位为周武王。人们将他说的那两句话引申为成
jì wèi wéi zhōu wǔ wáng rén men jiāng tā shuō de nà liǎng jù huà yǐn shēn wéi chéng

语"恶贯满盈"，比喻人罪恶累累，就像钱串已满，
yǔ è guàn mǎn yíng bǐ yù rén zuì è léi léi jiù xiàng qián chuàn yǐ mǎn

末日到了。
mò rì dào le

第171篇

xū zhāng shēng shì
虚 张 声 势

【出处】唐·韩愈《论淮西事宜状》

【用法】有些小动物会虚张声势，好吓退敌人。

【故事】王忠、刘岱是三国时曹操的部将。有一天，曹操派他们俩率军打着曹丞相的旗号去徐州讨伐刘备。谋士程昱对曹操说："刘岱、王忠不过是偏将而已，他们的能力还不足以攻破刘备！"曹操说："他们当然不是刘备的对手，我不过是要他们虚张声势罢了。"接着曹操转身吩咐两人说："你们不要轻举妄动，等我击溃袁绍大军，再去接应你们攻打刘备。"刘岱、王忠于是领兵前往徐州。后人引用"虚张声势"比喻故意大造自己的声势，借以吓唬别人。

第172篇

zhài tái gāo zhù
债台高筑

【出处】东汉·班固《汉书·诸侯王表序》

【用法】他已经债台高筑，马上要破产了。

【故事】战国时期，秦国不断地攻击各诸侯，甚至有意侵犯周朝，周赧王便答应楚孝烈公的要求，率领各诸侯国去讨伐秦国。但因军费不足，周赧王只好签下借据，向国

内有钱的人借钱。说好了等到打了胜仗回来，连同利息一并偿还。但是，周兵出动后却不见诸侯国的兵士。三个月后，仗没打钱倒花完了。周赧王回国后害怕面对债主，天天躲在高台上，人们戏称避债台。后人就把这件事引申为成语"债台高筑"，比喻人欠债太多无力偿还。

第173篇

luò jǐng xià shí
落井下石

【出处】唐·韩愈《柳子厚墓志铭》

【用法】他已经被处罚了，你们不要再落井下石
欺负他了。

【故事】唐朝大文学家韩愈，见到好友柳宗元被小人
陷害而得病去世，难过之余为好友写了一篇墓志铭。
文中提及："读书人要到穷困时，才能看出他的气
节。"有些人平时对待朋友时装出一副生死与共
的样子，一旦有利害冲突时就翻脸不认人；更有人
是，见到人掉落陷阱里，不但不伸手相助，反而以
石块攻击，这种人
到处都有！后人将
韩愈的话引申为
成语"落井下石"比
喻人不厚道，乘人
危难还陷害别人。

第174篇

dāng tóu bàng hè
当头棒喝

【出处】宋·释普济《五灯会元·临济义玄禅师》

【用法】妈妈的责骂，对他来说真是当头棒喝，从此，他改掉了坏习惯。

【故事】黄檗禅师是一位著名的高僧。他有很多弟子，其中有个名叫临济的，想知道什么是佛法，于是找了一个机会向禅师请教。黄檗禅师听

了临济的提问，没有回答他，却突然拿起木棒当头打下去。临济莫名其妙地被打一棒，虽然很痛，他还是忍痛再问，没想到又挨了一棒。就这样三问三打，临济不再提问，自己专心研究。最后，终于参透佛法奥妙，他的道行几乎和黄檗禅师一样高深。后人于是以"当头棒喝"来比喻提醒别人的警告。

第175篇

cāng hǎi yí sù
沧海一粟

【出处】宋·苏轼《前赤壁赋》
（sòng sū shì qián chì bì fù）

【用法】在浩瀚的人海中，我们只是沧海一粟。
（zài hào hàn de rén hǎi zhōng wǒ men zhǐ shì cāng hǎi yí sù）

【故事】宋朝文豪苏轼，有一天和朋友乘坐小船，
（sòng cháo wén háo sū shì yǒu yì tiān hé péng you chéng zuò xiǎo chuán）
去游览赤壁。那是个秋日夜晚，江风徐徐，苏轼和友人
（qù yóu lǎn chì bì nà shì ge qiū rì yè wǎn jiāng fēng xú xú sū shì hé yǒu rén）
一面对月饮酒，一面吟诗怀古。友人吹奏的箫声越
（yí miàn duì yuè yǐn jiǔ yí miàn yín shī huái gǔ yǒu rén chuī zòu de xiāo shēng yuè）
来越哀戚。面对三国的古战场，苏轼不禁问："曹
（lái yuè āi qī miàn duì sān guó de gǔ zhàn chǎng sū shì bù jīn wèn cáo）
操、周瑜那些权霸一时的英雄们，如今在哪里？"接
（cāo zhōu yú nà xiē quán bà yì shí de yīng xióng men rú jīn zài nǎ li jiē）
着他想起自己被贬官到异乡的命运。感慨地说：
（zhe tā xiǎng qǐ zì jǐ bèi biǎn guān dào yì xiāng de mìng yùn gǎn kǎi de shuō）
"寄蜉蝣于天地，渺沧海之一粟。"意思是：我们就像
（jì fú yóu yú tiān dì miǎo cāng hǎi zhī yí sù yì si shì wǒ men jiù xiàng）
蜉蝣一样，将短暂的生命寄放在天地间，藐小的
（fú yóu yí yàng jiāng duǎn zàn de shēng mìng jì fàng zài tiān dì jiān miǎo xiǎo de）
像大海中的一粒
（xiàng dà hǎi zhōng de yí lì）
米。后人引申为成
（mǐ hòu rén yǐn shēn wéi chéng）
语"沧海一粟"，比喻
（yǔ cāng hǎi yí sù bǐ yù）
非常藐小。
（fēi cháng miǎo xiǎo）

第176篇

qīng guó qīng chéng
倾国倾城

dōng hàn   bān gù   hàn shū   xiào wǔ lǐ fū rén zhuàn
【出处】东汉·班固《汉书·孝武李夫人传》

tā de zhǎng xiàng hěn měi   jiǎn zhí shì qīng guó qīng chéng
【用法】她的长相很美，简直是倾国倾城。

lǐ yán nián shì hàn cháo de yì rén   yǒu yí cì   tā zài hàn wǔ dì miàn
【故事】李延年是汉朝的艺人。有一次，他在汉武帝面

qián biǎo yǎn gē wǔ   tā chàng dào   běi fāng yǒu jiā rén   jué shì ér dú lì   yī
前表演歌舞。他唱道："北方有佳人，绝世而独立；一

gù qīng rén chéng   zài gù qīng rén guó   wǔ dì tīng le hòu   wèn dào   shì jiān
顾倾人城，再顾倾人国。"武帝听了后，问道："世间

zhēn yǒu zhè yàng de jiā rén
真有这样的佳人

ma   píng yáng gōng zhǔ
吗？"平阳公主

shuō   jiù shì lǐ yán nián de
说："就是李延年的

mèi mei ya   wǔ dì biàn zhào
妹妹呀！"武帝便召

tā jìn gōng   yí jiàn guǒ zhēn
她进宫，一见果真

yǒu qīng guó qīng chéng de róng mào   yú shì   nà tā wéi fēi   rén chēng lǐ fū rén
有倾国倾城的容貌。于是，纳她为妃，人称李夫人。

kě xī lǐ fū rén hěn zǎo jiù guò shì le   cóng tā bìng zhòng dào guò shì   chǒng ài
可惜李夫人很早就过世了。从她病重到过世，宠爱

tā de wǔ dì dōu wú fǎ jiàn dào tā yí miàn   yīn wèi tā jiān chí bú yuàn ràng wǔ dì
她的武帝都无法见到她一面，因为她坚持不愿让武帝

jiàn dào tā bìng zhōng de yàng zi   ér yào wǔ dì yǒng yuǎn jì de tā jiàn kāng shí měi
见到她病中的样子，而要武帝永远记得她健康时美

lì de róng mào
丽的容貌！

第177篇

qún cè qún lì
群策群力

【出处】西汉·扬雄《法言·重黎》

【用法】我们赢得胜利，靠的是群策群力，因此荣耀应归整个团队。

【故事】楚霸王项羽英勇过人，自尊自大，从不听人言。他和刘邦争夺天下时，不听谋士范增的话，最后，兵败在乌江举剑自刎。临死前他还说："此天亡我，非战之罪也。"意思是：我的失败是天意，并不是战略错误。汉朝文学家扬雄却认为，汉高祖刘邦战胜项羽的关键是："汉屈群策，群策屈群力。"也就是说，项羽不接受别人的意思，只凭一己力量，势单力薄；刘邦却是靠着张良、韩信等一群人的献计帮忙，才一统天下的。后人便将扬雄的观点引申为"群策群力"，意思是大家一起出力想办法。

第178篇

jiǎo tà shí dì
脚踏实地

【出处】宋·朱熹《答 张 敬 夫 书》

【用法】他做事脚踏实地，成 为大家的典范。

【故事】司马光，字君实，是宋代著名的历史学家。有

一次，他问朋友邵雍："你看我是什么样的人呢？"

邵雍说："君实，脚踏实地之人也。"司马光确实是一

个脚踏实地、刻苦研究的学者。在他奉命编纂《资治

通鉴》的十九年

中，他每天都工作

到深夜，为了不让

自己睡得太多，他特

制了一个木头警枕，

枕头一转动，他就会醒来工作。书编写完成之后，

他放在洛阳的残稿，竟然堆满了两个房间。由此可

见，司马光认真治学的态度，真的是脚踏实地。后人

用来比喻做事踏实不浮夸。

第179篇

huán féi yàn shòu
环 肥 燕 瘦

【出处】宋·苏轼《孙莘老求墨妙亭诗》

【用法】中外建筑相比没有优劣之分，只是
环肥燕瘦罢了。

【故事】汉朝成帝的皇后赵飞燕，唐朝玄宗的贵
妃杨玉环，都是历史上的绝世佳人，不同的是飞燕体
态纤瘦苗条；玉环则是丰满体圆。所以苏轼说："短
长肥脊各有态，玉环飞燕谁敢憎。"意思是：高矮胖
瘦各有各的美。从此，人们便以"环肥燕瘦"，来描述
不同类型的美女。赵
飞燕和杨玉环，都是
红颜薄命。飞燕原
本是汉成帝的皇
后，后被贬为平民百

姓，自杀身亡。杨玉环更是在战乱中，被迫上吊
自杀。后人以"环肥燕瘦"比喻体态、风格不同而各有
所长。

第180篇

yǔ hǔ móu pí
与虎谋皮

【出处】宋·李昉 等《太平御览》

【用法】你去跟他这样的恶人谈条件，实际上
是与虎谋皮。

【故事】周朝时期，有一个人常常异想天开地与动
物们商量，想从动物身上讨到一点好处。他为
了得到羊肉，而去羊圈里和羊群讨肉吃，结果吓得羊
儿们破圈逃跑。后来，那人又想要一件珍贵的狐皮大
衣，于是跑到山上对狐狸说："狐狸好友，你身上的
皮制作狐皮大衣既珍贵又很保暖，请你剥下来给我好
吗？"狐狸听了，一溜烟地逃回深山里。后人将这则寓
言故事，引申为成语
"与虎谋皮"（本作"与
狐谋皮"）。意思是指
同老虎商量，要它
的皮，比喻不可能实
现的愿望。

第181篇

mǎn chéng fēng yǔ
满 城 风 雨

【出处】宋·姚述尧《朝 中 措》

【用法】这件事闹得满 城 风 雨,大家都希望
真 相 早 日 大 白。

【故事】宋 朝 有 个 穷 书 生 ,名 叫 潘 大 临 ,有 一 天 ,他
诗 兴 大 发 ,在 墙 壁 上 题 诗 ,刚 题 上 第 一 句 ,房 东 先
生 就 来 敲 门 催 讨 房 租 ,坏 了 他 的 诗 兴 ,于 是 他 将 仅
有 的 一 句 诗 抄 录 在 信 里 送 给 朋 友 。大 临 的 信 是 这 样 写
的:"秋 来 景 物 ,件 件 是 佳 句 ;昨 日 闭 卧 ,闻 搅 临 风 雨
声 ,欣 然 起 ,题 壁 曰 : ' 满 城 风 雨 近 重 阳 ', 忽 催 租
人 至 ,遂 败 兴 ,只 此 一 句 奉 寄 。"好 友 看 了 信 ,也 为 大 临
文 思 被 房 东 打 断 ,感
到 很 惋 惜 。后 人 引 用
"满 城 风 雨 "比 喻 消
息 一 经 传 出 ,就 众 口
喧 腾 ,到 处 轰 动 。

第182篇

chá yán guān sè
察言观色

【出处】《论语·颜渊》
lún yǔ · yán yuān

【用法】他是个懂得察言观色的孩子，所以很
tā shì ge dǒng dé chá yán guān sè de hái zi，suǒ yǐ hěn
讨妈妈喜欢。
tǎo mā ma xǐ huan

【故事】子张是孔子的学生，有一天，他问孔子："读
zǐ zhāng shì kǒng zǐ de xué sheng，yǒu yì tiān，tā wèn kǒng zǐ，dú
书人要怎么做才称得上通达呢？"孔子说："你说的
shū rén yào zěn me zuò cái chēng dé shang tōng dá ne，kǒng zǐ shuō，nǐ shuō de
通达是指什么？"子
tōng dá shì zhǐ shén me？zǐ
张说："不论做官或
zhāng shuō，bú lùn zuò guān huò
居家都有很好的名
jū jiā dōu yǒu hěn hǎo de míng
声。"孔子回答说：
shēng。kǒng zǐ huí dá shuō

"那你想知道的是名
nà nǐ xiǎng zhī dào de shì míng
气，不是通达；所谓通达是'质直而好义，察言而观
qì，bú shì tōng dá，suǒ wèi tōng dá shì，zhì zhí ér hào yì，chá yán ér guān
色'，也就是品德正直、行事公平正义，懂得分析别
sè，yě jiù shì pǐn dé zhèng zhí、xíng shì gōng píng zhèng yì，dǒng dé fēn xī bié
人的话、观察别人的脸色，这样的人才称得上通
ren de huà、guān chá bié ren de liǎn sè，zhè yàng de rén cái chēng dé shang tōng
达。"后人于是引用"察言观色"来提醒人聆听别人
dá，hòu rén yú shì yǐn yòng，chá yán guān sè，lái tí xǐng rén líng tīng bié ren
说话时，要仔细观察他脸上的表情，才能明白他
shuō huà shí，yào zǐ xì guān chá tā liǎn shang de biǎo qíng，cái néng míng bai tā
的心意。
de xīn yì

第183篇

jié zé ér yú
竭泽而渔

【出处】战国·吕不韦等《吕氏春秋·义赏》

【用法】现在大家毫不吝惜地浪费水资源，这是竭泽而渔的做法。

【故事】春秋时期，晋楚两国发生战争，楚国的兵力胜过晋国。晋文公担心地问狐偃："晋国要怎样才能够打胜仗呢？"狐偃说："兵不厌诈，我们用欺诈的方法吧！"晋文公把狐偃的话告诉季雍，季雍说："竭泽而渔，岂不获得，而明年无鱼。"意思是：把鱼池的水抽干了，怎么会捉不到鱼呢？但到明年就无鱼可抓了！季雍认为狐偃的计谋只能用一次，下一次就不能用了，并非长远之计。后人引用"竭泽而渔"比喻做事只图眼前利益，不做长远打算。

第184篇

mó léng liǎng kě
模棱两可

【出处】五代·刘昫《旧唐书·苏味道传》

【用法】处理事情时若态度模棱两可,会让人不知道该如何做才好。

【故事】苏味道是唐朝人,九岁时就会写文章,长大后和同乡的另一位才子李峤合称"苏李"。在武则天时期,味道当上了宰相。但是,这位从小以才气著名的宰相,做任何事情

只以保持个人的地位和安全为标准,没有创新改革的魄力。他还对人说:"处理事情只要模棱持平两端就可以了,因为明确决断若出错误还得负责任。"于是,当时的人叫他苏模棱或模棱手。从此,若有人处理事情时做不了决定、拿不定主意时,大家就说他是模棱两可。

第185篇

lè jí shēng bēi
乐 极 生 悲

【出处】西汉·司马迁《史记·滑稽列传》
xī hàn · sī mǎ qiān 《shǐ jì · huá jī liè zhuàn》

【用法】就算我们得了冠军也不要高兴过
jiù suàn wǒ men dé le guàn jūn yě bú yào gāo xìng guò
头，以免乐极生悲。
tóu, yǐ miǎn lè jí shēng bēi。

【故事】淳于髡是战国时期的齐国人，向来以滑稽逗趣
chún yú kūn shì zhàn guó shí qī de qí guó rén, xiàng lái yǐ huá jī dòu qù
著名。他知道齐威王爱喝酒，想规劝威王，就对威王
zhù míng。tā zhī dào qí wēi wáng ài hē jiǔ, xiǎng guī quàn wēi wáng, jiù duì wēi wáng
说："我喝酒十杯就醉，百杯也醉。"威王好奇地问原因，
shuō:"wǒ hē jiǔ shí bēi jiù zuì, bǎi bēi yě zuì。" wēi wáng hào qí de wèn yuán yīn,
淳于髡说："您赐我酒喝时，左有判刑的大臣、右有纠
chún yú kūn shuō:"nín cì wǒ jiǔ hē shí, zuǒ yǒu pàn xíng de dà chén、yòu yǒu jiū
正的御史大夫，我心怀恐惧，当然喝十杯就醉了；可是
zhèng de yù shǐ dà fū, wǒ xīn huái kǒng jù, dāng rán hē shí bēi jiù zuì le, kě shì
和朋友划拳喝酒，男男女女愉快谈笑，当然百杯才醉，
hé péng you huá quán hē jiǔ, nán nán nǚ nǚ yú kuài tán xiào, dāng rán bǎi bēi cái zuì,
但'酒极则乱，乐极则悲'，所以，我总是少喝为妙。"齐
dàn 'jiǔ jí zé luàn, lè jí zé bēi', suǒ yǐ, wǒ zǒng shì shǎo hē wéi miào。" qí
王听了，立刻取消
wáng tīng le, lì kè qǔ xiāo
当晚的酒宴。后人
dàng wǎn de jiǔ yàn。hòu rén
便引用"乐极生
biàn yǐn yòng "lè jí shēng
悲"来提醒人们欢
bēi" lái tí xǐng rén men huān
乐到了极点，将转
lè dào le jí diǎn, jiāng zhuǎn
而发生悲伤之事。
ér fā shēng bēi shāng zhī shì。

第186篇

lè cǐ bù pí
乐此不疲

【出处】南朝·范晔《后汉书·光武帝下》

【用法】看着那些追星族乐此不疲的追逐偶像
的情形，真令人感到不可思议。

【故事】汉光武帝刘秀推翻王莽政权后，一心想
稳定朝政，因此，每天天一亮就上朝处理政事，
还经常为朝臣讲述孔孟道理。皇太子担心父亲
如此辛勤忙碌，会影响身体
健康。于是对光武帝说："父
皇，您像夏朝的君王禹、
商朝的君王汤一样英明

能干，但却不能学习黄帝和老子的养生之道，您
应该多休息呀！"光武帝却说："我自乐此，不为疲
也。"意思是：我很乐意这么忙碌，一点也不觉得疲倦。
后人引用"乐此不疲"来形容人对某件事特别爱好而
沉浸其中，感觉不到疲倦。

第187篇

qǐng jūn rù wèng
请君入瓮

【出处】宋·司马光《资治通鉴·唐则天皇后 天授二年》

【用法】警察利用坏人设的计谋,请君入瓮,让他们害人不成反害己。

【故事】唐朝武则天时,大臣周兴与人密谋造反,武则天命来俊臣调查审问。来俊臣于是在家设宴款待周兴,请教周兴,说:"我近日审案,犯人们都不肯说实话,你可有什么良方让犯人认罪?"周兴说:"你就在大瓮外燃起火炭,谁不认罪就将谁推进瓮里。"来俊臣听了,就命家仆抬来烧热的大瓮,然后对周兴说:"今日有人告你谋反,皇帝命我审讯你,现在请你入瓮吧!"周兴立刻俯首认罪了。

后人引用"请君入瓮"比喻"以其人之道,还治其人之身"。

第188篇

mò shǒu chéng guī
墨守成规

【出处】西汉·刘向《战国策·齐策六》
xī hàn liú xiàng zhàn guó cè qí cè liù

【用法】像他这样墨守成规的人，肯定适应
xiàng tā zhè yàng mò shǒu chéng guī de rén kěn dìng shì yìng

不了时代发展的潮流。
bù liǎo shí dài fā zhǎn de cháo liú

【故事】墨子是战国时代的思想家。他主张"兼爱"，反
mò zǐ shì zhàn guó shí dài de sī xiǎng jiā tā zhǔ zhāng jiān ài fǎn

对战争。有一次，他听说楚荆王要去攻打宋国。让
duì zhàn zhēng yǒu yí cì tā tīng shuō chǔ jīng wáng yào qù gōng dǎ sòng guó ràng

著名的工匠公输班造一架可以攻城的
zhù míng de gōng jiàng gōng shū bān zào yí jià kě yǐ gōng chéng de

云梯。墨子到楚国对荆王说：
yún tī mò zǐ dào chǔ guó duì jīng wáng shuō

"您有云梯也很难占
nín yǒu yún tī yě hěn nán zhàn

领宋国。"荆王不相
lǐng sòng guó jīng wáng bù xiāng

信。墨子就说："我试
xìn mò zǐ jiù shuō wǒ shì

着守城，请公输班来攻城，好吗？"于是，公输班
zhe shǒu chéng qǐng gōng shū bān lái gōng chéng hǎo ma yú shì gōng shū bān

以云梯攻打墨子守御的城，结果连攻九次，九次都失
yǐ yún tī gōng dǎ mò zǐ shǒu yù de chéng jié guǒ lián gōng jiǔ cì jiǔ cì dōu shī

败。反过来，墨子不使用云梯攻击，却九攻九胜。后
bài fǎn guò lái mò zǐ bù shǐ yòng yún tī gōng jī què jiǔ gōng jiǔ shèng hòu

人把墨子善于守城池的故事，引申为"墨守成规"，
rén bǎ mò zǐ shàn yú shǒu chéng chí de gù shi yǐn shēn wéi mò shǒu chéng guī

比喻人思想保守，守着老规矩不肯改变。
bǐ yù rén sī xiǎng bǎo shǒu shǒu zhe lǎo guī jǔ bù kěn gǎi biàn

第189篇

pū shuò mí lí
扑朔迷离

【出处】古乐府《木兰辞》

【用法】这个案子案情扑朔迷离，让办案人员很头痛。

【故事】花木兰是古代一名女子，从小就跟父亲学习打猎，使得她武功胆识比男孩儿还要强。有一天，木兰知道父亲要被征召作战，她难过极了！就想要代替年迈的父亲赴沙场作战，于是她女扮男装骗过了所有人。后来战争结束了，木兰立了大功，皇帝要赏赐她时，才发现她是个女儿身。后来有人据此写了一首《木兰辞》，其中有这样的句子："雄兔脚扑朔，雌兔眼迷离；两兔傍地走，安能辨我是雄雌？"意思是：把兔子捏住耳朵提起来，雄兔脚乱踢，雌兔眼半闭，但是在地上跑时就辩认不出雌雄了。后人以"扑朔迷离"形容事物错综复杂，不易看清真相。

第190篇

diāo chóng xiǎo jì
雕 虫 小 技

【出处】nán cháo · shěn yuē 《wǔ dì jí xù》
南 朝 · 沈 约《武帝集序》

【用法】wǒ zhè xiē diāo chóng xiǎo jì, bù zú yǐ kuā yào
我 这 些 雕 虫 小 技，不 足 以 夸 耀。

【故事】hán cháo zōng shì táng xuán zōng shí de jīng zhōu cì shǐ, hěn ài hù nián
韩 朝 宗 是 唐 玄 宗 时 的 荆 州 刺 史，很 爱 护 年

qīng wén rén, yě kěn tí bá hòu bèi, xǔ duō rén jīng yóu tā de jiàn jǔ, dé dào lǐ
轻 文 人，也 肯 提 拔 后 辈，许 多 人 经 由 他 的 荐 举，得 到 理

xiǎng de gōng zuò。 dāng shí dà jiā dōu hěn yǎng mù tā, lián "shī xiān" lǐ bái yě
想 的 工 作。 当 时 大 家 都 很 仰 慕 他，连 "诗 仙" 李 白 也

bú lì wài。 lǐ bái bèi biǎn
不 例 外。李 白 被 贬

guān dào jiāng nán shí, yě
官 到 江 南 时， 也

xiě le yì fēng xìn gěi hán
写 了 一 封 信 给 韩

cháo zōng, sù shuō zì jǐ
朝 宗，诉 说 自 己

duì guó jiā de yuǎn dà zhì
对 国 家 的 远 大 志

xiàng hé lǐ xiǎng。 tóng shí yě qiān xū de shuō zì jǐ: "kǒng diāo chóng xiǎo jì,
向 和 理 想 。同 时 也 谦 虚 地 说 自 己："恐 雕 虫 小 技，

bù hé dà rén。" yì si shì: kǒng pà wǒ zhè wēi bù zú dào de xiǎo cái néng, bù
不 合 大 人 。"意 思 是：恐 怕 我 这 微 不 足 道 的 小 才 能，不

néng hé hū nín de yāo qiú。 hòu rén biàn yǐn yòng "diāo chóng xiǎo jì" lái bǐ yù wēi
能 合 乎 您 的 要 求。后 人 便 引 用 "雕 虫 小 技" 来 比 喻 微

bù zú dào de jì néng。
不 足 道 的 技 能 。

第191篇

xiāo guī cáo suí
萧规曹随

【出处】西汉·扬雄《解嘲》

【用法】照抄别人的作业，错了也不改动，萧规曹随怎么行呢？

【故事】秦朝末年，刘邦率军占领秦朝首都咸阳城。许多官兵乘机到处搜刮金银财宝，只有萧何搜集了秦朝的所有法令规章、文献图籍。后来，刘邦成为汉高祖之后，萧何当上丞相，而另一位贤臣曹参，因和萧何意见分歧而两人关系不好。当萧何过世时，还是推举曹参做丞相。曹参继任丞相，完全遵照萧何制定的典章制度来办事。扬雄将这件事记载在书上，说："萧也规，曹也随。"意思是：赞赏曹参尊崇萧何的气度。

从此，有人引用"萧规曹随"比喻遵照旧有规定来做事。

第192篇

jǔ yī fǎn sān
举一反三

【出处】《论语·述而》
lún yǔ shù ér

néng gòu jǔ yī fǎn sān de rén xué xí xiào guǒ huì bǐ jiào hǎo
【用法】能够举一反三的人，学习效果会比较好。

kǒng zǐ shì quán tiān xià rén de lǎo shī zhè shì yīn wèi tā zài jiào yù
【故事】孔子是全天下人的老师，这是因为他在教育

shang yǒu xǔ duō zhēn zhī zhuó jiàn lì rú tā zhǔ zhāng miàn duì zī zhì bù tóng de
上有许多真知灼见。例如他主张 面对资质不同的

xué sheng jiù yào yīn cái shī jiào ér dāng xué sheng zài dé dào qǐ fā zhī hòu
学生就要"因材施教"；而当学生在得到启发之后，

jiù gāi gào su tā zhèng què de
就该告诉他正确的

sī kǎo fāng fǎ péi yǎng tā dú
思考方法，培养他独

lì sī kǎo de néng lì zài zhè
立思考的能力。在这

yì fāng miàn de jiào dǎo kǒng
一方面的教导，孔

zǐ shì shí fēn yán gé de tā
子是十分严格的。他

shuō jǔ yī yú bù yǐ sān yú fǎn zé bú fù yě yì si shì yí jiàn dōng
说："举一隅不以三隅反，则不复也。"意思是：一件东

xi yǒu sì ge jiǎo jiāo gěi tā yí ge jiǎo tā ruò bù néng yóu cǐ tuī dǎo chū qí tā
西有四个角，教给他一个角，他若不能由此推导出其他

sān ge jiǎo nà me wǒ jiāng bú zài jiāo tā le hòu rén yóu cǐ yǐn shēn chū jǔ yī
三个角，那么我将不再教他了。后人由此引申出"举一

fǎn sān lái gǔ lì xué sheng fán shì duō zuò sī kǎo kě yǐ cóng yí jiàn shì lèi tuī
反三"来鼓励学生凡事多做思考，可以从一件事类推

qí tā xǔ duō tóng lèi shì lǐ
其他许多同类事理。

第193篇

yìng duì rú liú
应对如流

【出处】北朝·王嘉《拾遗记》

【用法】不论老师问什么问题,他都应对如流,真让人羡慕。

【故事】南北朝时期有个名叫徐勉的人,从小父亲过世,家里又很贫穷,但他却很勤奋好学,六岁就能写祭神的文章。有人曾说徐勉具有宰相的气质,后来,他果然被梁武帝任命为丞相。他从早到晚操劳,工作十分忙碌。徐勉本来就很擅长文字工作,口才又好,所以,即使他的桌上公文堆积如山,访客川流不息,他依然能够"应对如流,手不停笔"。意思是:他能够一面与访客谈笑风生,一面又执笔批写公文。此后,人们就用"应对如流"来形容人思维敏捷,答话流利。

第194篇

jiáo wǎng guò zhèng
矫枉过正

【出处】南朝·范晔《后汉书·仲长统传》
nán cháo　fàn yè　hòu hàn shū　zhòng cháng tǒng zhuàn

【用法】老师对学生的过错矫枉过正，会引
lǎo shī duì xué sheng de guò cuò jiáo wǎng guò zhèng　huì yǐn
起家长抗议。
qǐ jiā zhǎng kàng yì

【故事】仲长统是东汉人，曾写过几篇议论时事的
zhòng cháng tǒng shì dōng hàn rén　céng xiě guo jǐ piān yì lùn shí shì de
文章给灵帝，其中最有名的是《理乱篇》。文章提
wén zhāng gěi líng dì　qí zhōng zuì yǒu míng de shì　lǐ luàn piān　wén zhāng tí
到汉朝末年，政治紊乱的根源。他说："后代帝王
dào hàn cháo mò nián　zhèng zhì wěn luàn de gēn yuán　tā shuō　hòu dài dì wáng
看到国内没有人反对他，就
kàn dào guó nèi méi yǒu rén fǎn duì tā　jiù
自以为了不起而为所欲为，
zì yǐ wéi liǎo bu qǐ ér wéi suǒ yù wéi
放纵自己，贪图享乐。在下
fàng zòng zì jǐ　tān tú xiǎng lè　zài xià
面的乱臣贼子就欺下瞒
miàn de luàn chén zéi zǐ jiù qī xià mán

上，使得民不聊生，痛苦不已；到政治清明时，肯
shàng　shǐ dé mín bù liáo shēng　tòng kǔ bù yǐ　dào zhèng zhì qīng míng shí　kěn
改革做事的君臣又矫枉过正，变革过于激进，反而达
gǎi gé zuò shì de jūn chén yòu jiáo wǎng guò zhèng　biàn gé guò yú jī jìn　fǎn ér dá
不到改革的效果。"后人引申为成语"矫枉过正"。
bú dào gǎi gé de xiào guǒ　hòu rén yǐn shēn wéi chéng yǔ　jiáo wǎng guò zhèng
意思是矫正弯曲的东西超过了限度，而又弯向另
yì si shì jiáo zhèng wān qū de dōng xi chāo guò le xiàn dù　ér yòu wān xiàng lìng
一方。比喻纠正事物的偏失、错误过了头，而陷于另一
yī fāng　bǐ yù jiū zhèng shì wù de piān shī　cuò wù guò le tóu　ér xiàn yú lìng yī
种偏失、错误之中。
zhǒng piān shī　cuò wù zhī zhōng

第195篇

fù shuǐ nán shōu
覆水难收

nán cháo   fàn yè   hòu hàn shū   guāng wǔ dì jì shàng
【出处】南朝·范晔《后汉书·光武帝纪上》

shuō chū kǒu de huà jiù xiàng pō chū qu de shuǐ   fù shuǐ
【用法】说出口的话就像泼出去的水，覆水

nán shōu   ào huǐ yě méi yǒu yòng
难收，懊悔也没有用。

hàn cháo yǒu yí ge rén jiào zhū mǎi chén   jiā li hěn qióng   dàn tā xǐ
【故事】汉朝有一个人叫朱买臣，家里很穷，但他喜

huan dú shū   zhǐ néng kào shàng shān kǎn chái de wēi bó shōu rù chí wéi shēng huó
欢读书，只能靠上山砍柴的微薄收入持维生活。

tā de qī zi xián tā tài qióng   yào hé tā lí hūn   tā shuō   wǒ jiāng lái yí dìng
他的妻子嫌他太穷，要和他离婚。他说："我将来一定

huì fù guì de   nǐ zài rěn nài jǐ nián ba   qī zi duì tā lěng cháo rè fěng le yì
会富贵的，你再忍耐几年吧！"妻子对他冷嘲热讽了一

fān   hái shì lí tā ér qù   hòu lái zhū mǎi chén guǒ rán dāng shang guì jì tài shǒu
番，还是离他而去。后来朱买臣果然当上会稽太守。

shàng rèn shí zài jiē biān kàn jiàn qī zi zuò qīng jié gōng   qī zi qián lái yāo qiú fù
上任时在街边看见妻子做清洁工，妻子前来要求复

hé   zhū mǎi chén ná qi yì tǒng shuǐ pō zài dì shàng shuō   nǐ ruò néng bǎ dì
合，朱买臣拿起一桶水泼在地上说："你若能把地

shàng de shuǐ shōu huí lái   wǒ jiù
上的水收回来，我就

hé nǐ fù hé   qī zi tīng le
和你复合。"妻子听了

hòu huǐ mò jí   hòu rén yīn cǐ
后悔莫及。后人因此

yǐn shēn wéi   fù shuǐ nán shōu
引申为"覆水难收"

lái bǐ yù shì chéng dìng jú   bù
来比喻事成定局，不

kě wǎn huí
可挽回。

第196篇

shuāng guǎn qí xià
双 管 齐 下

【出处】宋·郭若虚《图画见闻志·张璪》

【用法】医生为他打针开药，采用了双管齐下的治疗方法。

【故事】张璪是唐朝人，他在官场上很不得志，怎么都升不了官。但是，他有极高的绘画天分，特别擅长画山水树木，当他画松树时，他会用一只手握着两支笔，双笔一同落下，一支笔画出枯木萎枝，另一支笔则画出苍松翠柏。张璪的画作，件件都是生动逼真，因此，有人称赞他的作品是神品。可见他的画在人们心中的地位是多么崇高，而人们也为他这奇妙的绘画方式取名为："双管齐下"。后人引用这句话来比喻两件事同时进行或同时采用两种方法做事。

196

第197篇

lú shān zhēn miàn mù
庐山真面目

【出处】宋·苏轼《题西林壁》

【用法】揭开他的庐山真面目，才知道他是男
扮女装。

【故事】传说，周武王时有一位学神仙术的人，名叫
匡裕。他在江西省的一座山上，盖了好几间房舍
隐居，后来周武王派人上山找他出来做官，没有
找到他，只见到房舍。因此，这座山在古时一直被叫
匡庐，又叫匡山，后来才叫庐山。宋朝大文豪苏轼
游庐山后，对满山的烟云缭绕感触极深，写下诗句："横
看成岭侧成峰，远近高低各不同；不识庐山真面
目，只缘身在此山中。"描述整座山在氤氲的云雾
中的美妙景致。后人引
用"庐山真面目"来比
喻真正看清楚事物的
真相或人的真面目。

第198篇

鸠 占 鹊 巢
jiū zhàn què cháo

【出处】《诗经·召南·鹊巢》
shī jīng shào nán què cháo

【用法】每次上课他都不带椅子,而是强占
měi cì shàng kè tā dōu bú dài yǐ zi ér shì qiáng zhàn

别人的座位,大家都很讨厌他这种鸠
bié ren de zuò wèi dà jiā dōu hěn tǎo yàn tā zhè zhǒng jiū

占鹊巢的做法。
zhàn què cháo de zuò fǎ

【故事】几乎所有的鸟都会用口衔草和泥土,在树上
jǐ hū suǒ yǒu de niǎo dōu huì yòng kǒu xián cǎo hé ní tǔ zài shù shang

筑巢居住,但是,鸠却例外。鸠从来自己不筑巢,只凭
zhù cháo jū zhù dàn shì jiū què lì wài jiū cóng lái zì jǐ bú zhù cháo zhǐ píng

借自己强健的体魄,欺侮较弱小的鸟类,霸占别种
jiè zì jǐ qiáng jiàn de tǐ pò qī wǔ jiào ruò xiǎo de niǎo lèi bà zhàn bié zhǒng

鸟的巢穴。每当鹊飞出
niǎo de cháo xué měi dāng què fēi chu

去觅食时,鸠就霸占它的
qu mì shí shí jiū jiù bà zhàn tā de

巢穴,令鹊在一旁哀
cháo xué lìng què zài yì páng āi

鸣。所以,《诗经》上才
míng suǒ yǐ shī jīng shang cái

会记载说:"维鹊有巢,
huì jì zǎi shuō wéi què yǒu cháo

维鸠居之。"成语"鸠占鹊巢"就是由《诗经》引申而
wéi jiū jū zhī chéng yǔ jiū zhàn què cháo jiù shì yóu shī jīng yǐn shēn ér

来的。这句话真正的含义是指没有真实本领的人,只
lái de zhè jù huà zhēn zhèng de hán yì shì zhǐ méi yǒu zhēn shí běn lǐng de rén zhǐ

会靠着不正当的手段夺取、强占别人的东西或地
huì kào zhe bú zhèng dāng de shǒu duàn duó qǔ qiáng zhàn bié rén de dōng xi huò dì

位。
wèi

第199篇

hè lì jī qún

鹤立鸡群

nán cháo liú yì qìng shì shuō xīn yǔ róng zhǐ
【出处】南朝·刘义庆《世说新语·容止》

yáo míng shēn gāo chāo guò liǎng mǐ zhàn zài wǒ men zhōng
【用法】姚明身高超过两米，站在我们中
jiān jiù xiàng hè lì jī qún yí yàng tū chū
间，就像鹤立鸡群一样突出。

jī shào shì jìn cháo rén tiān shēng tǐ gé zhuàng shuò yí biǎo xuān
【故事】嵇绍是晋朝人，天生体格壮硕，仪表轩
áng shì jìn huì dì de shì cóng guān huì dì hěn xīn shǎng tā de tǐng bá wēi yí
昂，是晋惠帝的侍从官。惠帝很欣赏他的挺拔威仪。
hòu lái tā suí cóng huì dì dào wài dì píng luàn dǎ le bài zhàng xǔ duō shì wèi
后来，他随从惠帝到外地平乱，打了败仗，许多侍卫
bù sǐ yě shāng hái yǒu rén táo pǎo le zhǐ yǒu jī shào zhōng xīn de hù wèi zhe huì
不死也伤，还有人逃跑了。只有嵇绍忠心地护卫着惠
dì bìng yòng zì jǐ shēn tǐ wèi huì dì dǎng lì jiàn zuì hòu jī shào bèi luàn jiàn
帝，并用自己身体为惠帝挡利箭。最后，嵇绍被乱箭
shè sǐ xiān xuè pēn jiàn zài huì dì de yī fu shang yǒu rén yào bǎ xuè zì xǐ diào
射死，鲜血喷溅在惠帝的衣服上，有人要把血渍洗掉，
huì dì què shě bu de cháo tíng li yú shì yǒu rén shuō jī shào zài rén qún
惠帝却舍不得。朝廷里于是有人说："嵇绍在人群
zhōng tǐng bá wēi wǔ de mú yàng jiù
中，挺拔威武的模样，就
xiàng xiān hè lì zài jī qún
像仙鹤立在鸡群
zhōng cóng cǐ rén men jiù yǐ
中。"从此，人们就以
hè lì jī qún lái xíng róng rén
"鹤立鸡群"来形容人
yí biǎo cái néng chāo qún tuō sú
仪表才能超群脱俗。

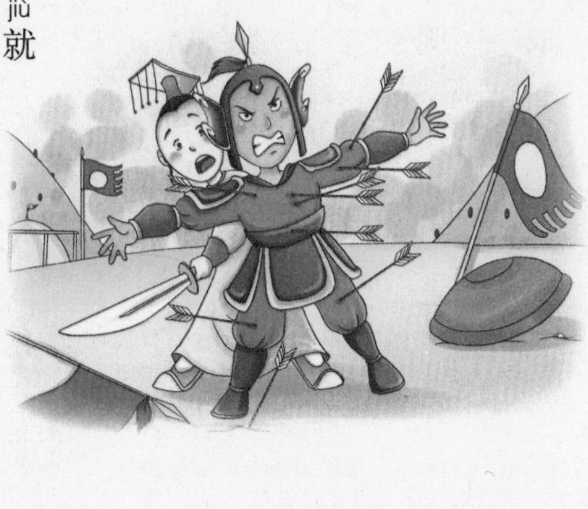

第200篇

tiě chǔ mó chéng zhēn
铁杵磨成针

【出处】宋·祝穆《方舆胜览》

【用法】只要我们好好努力,下定铁杵磨成针的决心,成功会属于我们的。

【故事】唐朝"诗仙"李白年轻的时候,做任何事情都害怕遇到困难,也不会持之以恒地做好一件事情。父母送他上学堂念书,他却逃学在外游荡。有一天,李白又逃学在外游玩,看见一位老婆婆拿着一根粗铁杵,弯腰低头在一块大石上来回磨着。李白好奇地上前问:"老婆婆您为什么磨铁杵呢?"老婆婆说:"我要把铁杵磨成针哪!"李白哈哈大笑地说:"铁杵怎能磨成针呢?"老婆婆以坚定的语气说:"只要工夫深,不怕铁杵磨不成针!"李白听了,深有感悟,再也不逃学了。后人用"铁杵磨成针"来比喻做事能

持之以恒,则必有成果。